저희 아들은 『똑똑한 하루 독해』를 푸는 동안에
정말 멈출 수 없는 흥미로움과 재미에 빠져 있었습니다.
'더 하고 싶어. 더 풀고 자면 안 돼?'라는 말을 많이 듣게 해 준 독해서예요.
정말 즐겁게 잘 풀어 준 교재라 저는 더할 나위 없이 좋았네요.
다시 한 번 더 정말 너무너무 감사드리고 『똑똑한 하루 독해』를 빨리 만나 보고 싶어요.

– 『똑똑한 하루 독해』 검토단 이은주(초등학교 3학년 학생 부모님)

#홈스쿨링
#혼자공부하기

똑똑한
하루 독해

Chunjae Makes Chunjae

[똑똑한 하루 독해] 1단계 B

편집개발 이문태, 이재인, 김민숙, 김효진, 박지윤
디자인총괄 김희정
표지디자인 윤순미
내지디자인 박희춘, 임용준
제작 황성진, 조규영

발행일 2021년 11월 15일 2판 2024년 4월 1일 4쇄
발행인 (주)천재교육
주소 서울시 금천구 가산로9길 54
신고번호 제2001-000018호
고객센터 1577-0902

※ 정답 분실 시에는 천재교육 교재 홈페이지에서 내려받으세요.
※ KC 마크는 이 제품이 공통안전기준에 적합하였음을 의미합니다.
※ 주의
책 모서리에 다칠 수 있으니 주의하시기 바랍니다.
부주의로 인한 사고의 경우 책임지지 않습니다.
8세 미만의 어린이는 부모님의 관리가 필요합니다.

토깽

호랭

동물의 왕이 되고 싶은 욕심이 제일 많은 미호, 걸음은 느려도 성격은 급한 꼬북, 노는 걸 좋아하는 토깽, 울음소리는 우렁차지만 사실은 겁이 많은 호랭과 함께 독해 공부를 시작해 보아요!

똑똑한 하루 독해

1단계 B 스케줄표

1주

3주

멋져! 한 권을 모두 끝냈구나.

1단계 B 공부할 내용 한눈에 보기!

똑똑한 하루 독해를 함께 할 친구들을 소개합니다.

반가워!

미호

공부하자!

꼬북

동물 숲의 왕이 되기 위해서는 동물 숲 대대로 내려오는 마법의 책을 읽을 수 있어야 한대요.
과연 누가 독해 실력을 키워 마법의 책을 읽고 동물 숲을 다스리는 왕이 될 수 있을까요?

What? 독해? 독해!
독해가 뭐예요?

똑똑한 독해 질문

하나!

다들 '독해, 독해' 하는데 독해가 뭐예요?

글자를 읽기만 하는 게 아니라
진짜 이해하여 내 지식으로 만드는 것이 독해예요!

똑똑한 독해 질문

둘!

그럼 독해는 국어인가요?

독해는 그냥 국어만이 아니에요. 읽고 이해하는 독해가 안되면 수학 문제도 풀 수 없어요. 이처럼 독해는 모든 과목 공부를 잘하기 위한 기초랍니다. 독해를 통해 모든 과목의 지식을 내 것으로 만드는 방법을 배워야 해요.

똑똑한 독해 질문

셋!

글 읽고 문제만 계속 풀면 독해 공부가 되나요?

무조건 글 읽고 문제만 푼다고 독해 공부가 잘될 리 없지요. 「똑똑한 하루 독해」로 공부해 보세요. 먼저 어휘를 익히고 시나 이야기뿐만 아니라 수학, 사회, 과학, 역사, 예술은 물론 생활 속 글까지 다양하게 읽어 보세요. 그리고 어휘 심화 문제와 게임으로 실력을 다져요. 이해도 쏙쏙 되고 지루할 틈이 없겠지요?

진짜 똑똑한 독해를 시작해 볼까요?

이 책의
특징과 장점

똑똑한 하루 독해로
똑똑해지자!

뭐 이렇게 독해책이 많아?

모르는구나?
요즘 독해가 대세야!

독해를 잘해야 국어뿐만
아니라 다른 과목 문제를
풀 때에도 요점을 잘 짚어
이해하고 풀 수 있다고.

독해는 어휘가 기본인데,
이 책은 어휘가 너무 부족해.

이 책은 너무 글만 가득해서
어렵고 지루해. 벌써 졸려!

이 책은 몽땅 교과서 글만 있잖아.
난 다양한 글을 읽고 싶은걸.

똑똑한 하루 독해!
왜 똑똑한 하루 독해일까요?

① **10분이면 하루 독해 끝!** 쉽고 재미있는 독해 공부!

② **어휘로 준비하고 어휘로 마무리!** 어휘력 쏙! 독해력 쑤욱!

③ **'문학·비문학·실생활' 알짜 지문!** 하루하루 다양하고 즐거운 독해!

④ **독해 최초 생활 속 독해, 생활 어휘, 생활 한자!** 생활 맞춤 실용 독해 완성!

⑤ **똑똑한 독해 게임으로 사고력 넓히기!** 창의·융합 독해력 팍팍!

이 책의 구성과 활용

주 도입

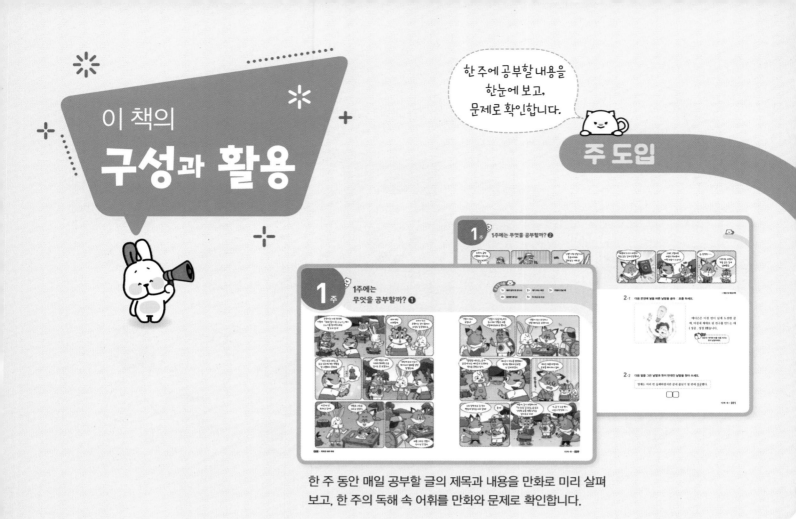

한 주 동안 매일 공부할 글의 제목과 내용을 만화로 미리 살펴보고, 한 주의 독해 속 어휘를 만화와 문제로 확인합니다.

독해 코스

QR 코드를 찍으면 **다양한 학습 자료를** 보고 들을 수 있어요.

독해 개념과 필수 어휘 미리 익히기

재미있는 만화로 학습 목표와 핵심 독해 개념을 익히고, 지문 속 핵심 어휘를 간단한 문제로 미리 익히며 독해를 준비합니다.

실전 독해와 다양한 유형의 핵심 문제 풀기

여러 영역의 글을 읽고 다양한 유형의 문제로 독해를 완성합니다. 서술형 문제로 쓰기 연습을 해 보고, '스스로 독해 해결!' 문제로 자기 주도 학습 능력을 키웁니다.

똑똑한
하루 독해 어휘

똑똑한
하루 독해 게임

어휘 문제로 마무리하기
글에 쓰인 어휘를 문제로 다시 한번 확인
하고 비슷한말, 반대말 등 관련 어휘 학
습으로 어휘력을 넓힙니다.

게임으로 독해력 넓히기
재미있는 독해 게임으로 독해력을 넓히고
하루의 독해 학습을 마무리합니다.

누구나 100점 테스트와
주 특강으로 한 주의 독해를
마무리해 봅니다.

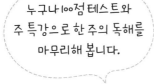

주 마무리

누구나 100점 테스트
한 주 동안 공부한 내용을 평가해
보며 독해 실력을 확인하고, 독해에
대한 자신감을 키웁니다.

주 특강 창의·융합·코딩
다양한 형식의 창의·융합·코딩 미션을 해결하며 한 주의
중요 어휘를 확인하고 다양한 배경지식을 넓힙니다.

친구들과 약속해요!

우리 같이 약속해요!

첫째, 하루하루 빠짐없이 꾸준히 공부하기!

둘째, 하루 독해 문제 끝까지 다 풀기!

셋째, 틀린 문제는 왜 틀렸는지 다시 한번 확인하기!

약속하는 사람 _____

쉽고 재미있는
『똑똑한 하루 독해』로
독해 공부를 시작해 봐요.

하루 독해

DUMI

1-1 밑줄 그은 '구별'의 뜻으로 알맞은 것을 골라 ○표를 하세요.

개는 색깔을 <u>구별</u>하는 능력이 사람보다 약하다고 해요.

(1) 성질이나 종류에 따라 차이가 남. 또는 성질이나 종류에 따라 갈라놓음. (　　　)

(2) 아주 귀하고 소중하며 꼭 필요한 사람이나 물건 따위를 빗대어 이르는 말.

(　　　)

1-2 다음 빈칸에 공통으로 들어갈 낱말을 보기 에서 골라 쓰세요.

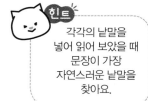
힌트
각각의 낱말을 넣어 읽어 보았을 때 문장이 가장 자연스러운 낱말을 찾아요.

• 집에서 입는 옷과 밖에서 입는 옷을 　　　 해야 한다.

• 병아리를 수컷과 암컷으로 　　　 하는 일은 어렵다.

보기

이별　　　　구별　　　　보배

▶ 정답 및 해설 8쪽

2-1 다음 문장에 넣을 바른 낱말을 골라 ◯표를 하세요.

에디슨은 이천 번이 넘게 도전한 끝에, 마침내 제대로 된 전구를 만드는 데 (성공 , 성장)했습니다.

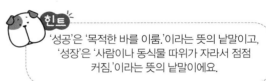

'성공'은 '목적한 바를 이룸.'이라는 뜻의 낱말이고, '성장'은 '사람이나 동식물 따위가 자라서 점점 커짐.'이라는 뜻의 낱말이에요.

2-2 다음 밑줄 그은 낱말과 뜻이 반대인 낱말을 문장에서 찾아 쓰세요.

영재는 여러 번 실패하였지만 끝내 줄넘기 열 번에 성공했다.

1일 해와 달이 된 오누이

공부한 날   월   일

인물의 말로 인물의 성격을 알아보자!

이야기 「해와 달이 된 오누이」를 읽고 인물의 성격을 알아보세요.

인물이 한 말을 살펴보면 인물의 성격을 알 수 있답니다.

◉ 오늘 공부할 글의 그림을 미리 보고, 빈칸에 알맞은 낱말을 각각 찾아 쓰세요.

| 산속 | 장터 | 오누이 | 아들딸 |

호랑이가 ❶ [ ][ ] 에서 떡을 팔고 집으로 돌아오던 어머니를 잡아먹었어
↳많은 사람들이 모여 물건을 사고파는 장이 서는 곳.

요. 그리고는 어머니 옷으로 갈아입고 ❷ [ ][ ][ ] 까지 잡아먹으러 왔지
↳오빠와 여동생을 아울러 이르는 말.

요. 오누이는 어떻게 되었을까요?

「해와 달이 된 오누이」
전체 이야기
듣기

해와 달이 된 오누이

스스로 독해

오빠의 성격은 어떠한 가요? 점선 부분을 따라 선을 그으며 오빠가 한 말을 읽고 답을 생각해 보세요.

호랑이는 어머니 옷으로 갈아입고 ㉠오누이가 기다리는 집으로 찾아 갔어요.

"얘들아, 엄마다. 문 열어라."

호랑이는 어머니 목소리를 흉내 내어 다정하게 말했어요. 그 목소리를 듣고, 누이동생이 문을 열려고 하자 오빠가 얼른 누이동생 손목을 붙잡 았어요.

"엄마 목소리가 아니야!"

호랑이는 장터에서 하도 소리를 질러 목소리가 쉰 거라고 둘러댔어요.

"그럼, 문틈으로 손을 밀어 넣어 보세요."

다시 오빠가 말하자, 호랑이는 시키는 대로 앞발을 불쑥 내밀었지요.

"우리 엄마 손이 아닌데. 까칠까칠해."

어휘 풀이

▼**오누이**   오빠와 여동생을 아울러 이르는 말. ⑩ 우리 오누이는 사이가 아주 좋다.

▼**누이동생**   남자의 여동생. ⑩ 현솔이는 누이동생을 잘 보살핀다.

▼**손목**   손과 팔이 잇닿은 부분. ⑩ 손목이 시려 병원에 갔다.

▼**장|마당 장 場|터**   많은 사람들이 모여 물건을 사고파는 장이 서는 곳. ⑩ 장터는 사람들로 북적였다.

▼**쉰**   목청에 탈이 나서 목소리가 거칠고 맑지 않게 된. ⑩ 신이 난 형은 쉰 목소리로 열심히 노래를 불렀다.

1
어휘

㉠ '오누이'와 바꾸어 쓸 수 있는 말은 무엇인가요? (   )

① 자매   ② 형제   ③ 남매

④ 오빠   ⑤ 누나

힌트
오누이는 오빠와 여동생을
가리키는 말이에요.

1주
1일

2
이해

서술형

오빠는 호랑이가 밀어 넣은 앞발이 왜 엄마 손이 아니라고 하였는지 쓰세요.

호랑이가 밀어 넣은 앞발이 _____

_____

3
유추

스스로 독해 해결!

이 글에 나타난 오빠의 성격은 어떠한가요? (   )

① 조심스럽다.   ② 매우 정직하다.

③ 장난을 잘 친다.   ④ 남을 잘 속인다.

⑤ 남의 말을 잘 믿는다.

4
요약

이 이야기에서 일어난 일을 정리하여 빈칸에 알맞은 말을 각각 쓰세요.

❶ _____ 는 어머니 옷으로 갈아입고 오누이가 기다리는 집으로

갔어요. 하지만 ❷ _____ 는 호랑이의 목소리를 듣고 엄마 목소리가 아니

라며 문을 열어 주지 않았지요. 그러고는 문틈으로 손을 밀어 넣어 보라고 하

고는 까칠까칠하다며 엄마 손이 아니라고 하였어요.

▶ 정답 및 해설 8쪽

1 다음 그림에 알맞은 낱말을 보기 에서 각각 찾아 쓰세요.

보기

자매   형제   오누이

형과 남동생	오빠와 여동생	언니와 여동생
(1)	(2)	(3)

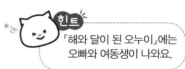

힌트
「해와 달이 된 오누이」에는
오빠와 여동생이 나와요.

2 다음은 「해와 달이 된 오누이」의 일부분이에요. 밑줄 그은 다음 낱말과 뜻이 비슷한 말을 보기 에서 각각 찾아 쓰세요.

보기

손등   팔목   장마당

누이동생이 문을 열려고 하자 오빠가 얼른 누이
동생 손목을 붙잡았어요.
→ (1) [   ]

"엄마 목소리가 아니야!"
호랑이는 장터에서 하도 소리를 질러 목소리가
→ (2) [   ]
쉰 거라고 둘러댔어요.

◉ 다음은 「해와 달이 된 오누이」의 뒷이야기예요. 잘 읽고 오누이가 필요한 도구를 구해 호랑이에게 잡아먹히지 않고 무사히 하늘로 올라갈 수 있도록 빈칸에 화살표를 그리세요.

> **뒷이야기** 오누이는 호랑이를 피해 도끼로 나무를 찍으며 감나무 위로 올라가 살려 달라고 하늘에 기도했어요. 그러자 하늘에서 동아줄과 삼태기가 내려왔어요. 그것을 타고 하늘로 올라간 오누이는 해와 달이 되었답니다.
>
> ▼ **삼태기** 흙이나 쓰레기, 거름 따위를 담아 나르는 데 쓰는 도구.

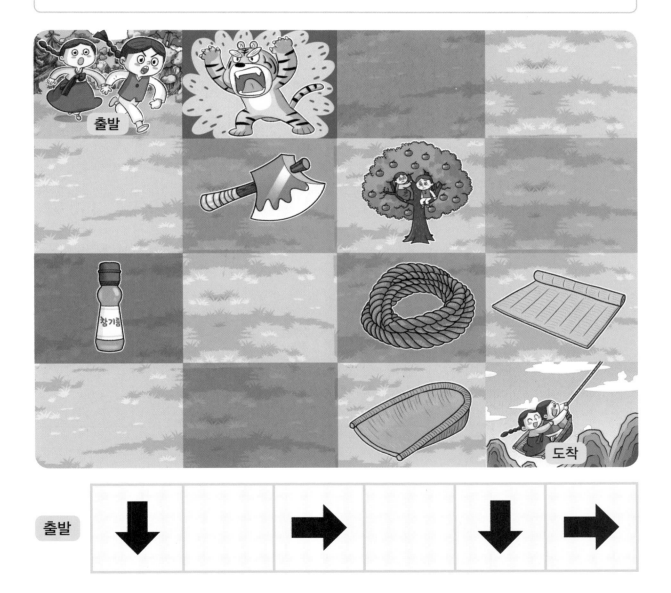

「해와 달이 된 오누이」의 뒷이야기를 떠올리며 오누이가 호랑이를 피해 달아날 때 이용한 도구들을 찾아보고 **여러 가지 도구의 모양과 쓰임**을 알아봅니다.

개가 보는 세상

공부한 날　　　월　　　일

다른 점을 생각하며 중요한 내용을 정리하자!

「개가 보는 세상」을 읽고 중요한 내용을 정리해 보세요.

개가 보는 세상과 우리가 보는 세상이 어떻게 다른지 찾아보면

이 글에서 무엇을 설명하고 있는지 알고

중요한 내용을 쉽게 정리해 볼 수 있답니다.

◉ 오늘 공부할 글과 그림을 미리 보고, 알맞은 낱말을 각각 찾아 표시하세요.

내 눈에는
꽃밭이……

색색의 아름다운 세상을 볼 수 있게 해 주는 눈은 우리 몸의 보배이지요.

1 '여러 가지 색깔.'이라는 뜻의 낱말을 찾아 ◯표를 하세요.

2 '아주 귀하고 소중하며 꼭 필요한 사람이나 물건 따위를 빗대어 이르는 말.'이라는 뜻의
낱말을 찾아 △표를 하세요.

시력이 좋은 동물들에 대해 알아보기

개가 보는 세상

스스로 독해

개가 보는 세상은 우리가 보는 세상과 어떻게 다를까요? 점선 부분을 따라 선을 그으며 읽고 답을 생각해 보세요.

개에게는 세상이 우리와 다르게 보인다고 합니다.

빨강, 파랑, 노랑, 초록, 보라 ▾등등. 우리 눈은 약 1만 7천 가지의 색깔을 알아볼 수 있다고 해요. ▾색색의 아름다운 세상을 볼 수 있게 해 주는 눈은 우리 몸의 ▾보배이지요.

㉠하지만 개는 색깔을 ▾구별하는 능력이 사람보다 약하다고 해요. 보는 능력도 사람보다 약해서 세상이 흐릿하게 보인다고 해요. 대신 코와 귀의 기능이 뛰어나서 사람보다 훨씬 냄새도 잘 맡고 소리도 잘 듣는답니다.

어휘 풀이

▾**등등**|같을 등 等, 같을 등 等| 그 밖의 것을 줄임을 나타내는 말.

　예 문구점에는 연필, 공책, 색종이 등등 온갖 학용품이 있다.

▾**색색**|빛 색 色, 빛 색 色| 여러 가지 색깔. 예 색색의 옷이 옷장에 걸려 있었다.

▾**보배** 아주 귀하고 소중하며 꼭 필요한 사람이나 물건 따위를 빗대어 이르는 말.

　예 어린이는 이 세상의 보배이다.

▾**구별**|구역 구 區, 다를 별 別| 성질이나 종류에 따라 차이가 남. 또는 성질이나 종류에 따라 갈라놓음.

　예 우리 형의 목소리는 특이해서 쉽게 구별이 된다.

1
표현

이 글에서는 사람의 눈을 무엇이라고 표현했나요? (   )

① 금
② 은
③ 대표
④ 보배
⑤ 자랑

2
문법

㉠ '하지만'과 바꾸어 쓸 수 있는 말을 골라 ○표를 하세요.

(1) 그리고 (   )
(2) 그러나 (   )

3
이해

서술형

개가 사람보다 뛰어난 것은 무엇이라고 하였는지 쓰세요.

개는 ＿＿＿＿＿＿＿＿＿＿＿＿＿＿＿＿＿＿＿＿＿＿＿이 뛰어나서
사람보다 훨씬 냄새도 잘 맡고 소리도 잘 듣는다.

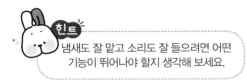
힌트
냄새도 잘 맡고 소리도 잘 들으려면 어떤
기능이 뛰어나야 할지 생각해 보세요.

4
요약

스스로 독해 해결!

이 글의 중요한 내용을 정리하여 빈칸에 알맞은 말을 각각 쓰세요.

사람이 보는 세상	개가 보는 세상
사람의 눈은 약 1만 7천 가지의 ❶＿＿＿＿ 을 알아볼 수 있다.	개는 ❷＿＿＿＿ 을 구별하는 능력과 보는 능력이 약해서 세상이 흐릿하게 보인다.

1 「개가 보는 세상」에 나온 색깔을 나타내는 낱말을 떠올리며 다음과 같은 색깔을 나타내는 낱말을 보기 에서 각각 두 가지씩 찾아 쓰세요.

> 보기
>
> 검정 　　　 노랑 　　　 빨강 　　　 파랑
>
> 검은색 　　 노란색 　　 빨간색 　　 파란색

(1) ⬛ : (　　　), (　　　)

(2) ⬛ : (　　　), (　　　)

(3) ⬛ : (　　　), (　　　)

(4) ⬛ : (　　　), (　　　)

2 다음 문장에 알맞은 낱말을 보기 에서 각각 찾아 쓰세요.

> 보기
>
> 구별
>
> 보배

(1) 요즘은 남자 옷과 여자 옷의 　　　　 이 없다.

(2) '구슬이 서 말이라도 꿰어야 　　　　 '라는 말이 있듯이 아무리 훌륭하고 좋은 것이라도 다듬고 정리하여 쓸모 있게 만들지 않으면 아무 소용이 없다.

> 힌트
>
> 아무리 구슬이 많아도 꿰어야 목걸이가 될 수 있듯이 무엇이든 다듬고 쓸모 있게 만들어야 이것이 될 수 있지요.

● 개가 보는 세상과 달리 우리는 색색의 아름다운 세상을 볼 수 있다고 하였어요. (1)~(3)
과 같이 물감으로 색깔을 섞으면 어떤 색깔이 나올지 보기 에서 각각 찾아 쓰세요.

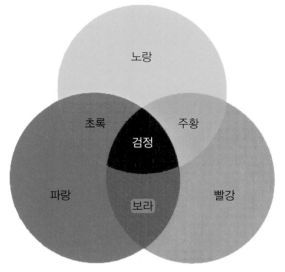

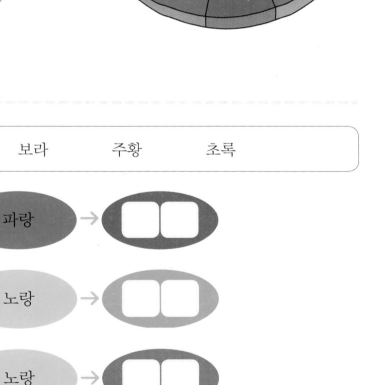

보기

| 검정 | 보라 | 주황 | 초록 |

(1) 빨강 + 파랑 →

(2) 빨강 + 노랑 →

(3) 파랑 + 노랑 →

「개가 보는 세상」의 내용을 떠올리며 **여러 가지 색깔을 알고, 여러 가지 색깔을 섞으면 어떤 색깔이 나오는지** 알아봅니다.

1단계-Ⓑ • **023**

연필이 신날 때

공부한 날   월   일

무엇에 빗대어 표현했는지 찾아라!

동시 「연필이 신날 때」에 사용된 표현 방법을 찾아보세요.

'나무'와 '숲'을 표현하기 위해 그와 비슷한 무엇에 빗대어 표현했는지

각각 찾아보면 동시의 내용을 이해하기 쉽답니다.

오늘 공부할 글의 그림을 미리 보고, 빈칸에 알맞은 낱말을 보기 에서 각각 찾아 쓰세요.

보기

신　　　화　　　고향　　　마을　　　쓱쓱

❶

거침없이 일을 손쉽게 해치우는 모양.

◉ 연필은 산 그릴 때 ○○ 잘 그려요.

❷

흥이 나고 즐거운 기분.

◉ 연필은 새 그릴 때 ○이 나요.

❸

자기가 태어나서 자란 곳.

◉ 연필은 숲이 ○○이래요.

동시 「연필이 신날 때」 듣기

연필이 신날 때

손동연

스스로 독해

'나무'와 '숲'을 각각 어떻게 표현했나요? 점선 부분을 따라 선을 그으며 읽고 답을 생각해 보세요.

연필은

산 그릴 때

쓱쓱 잘 그려요.

연필은

새 그릴 때

쓱쓱 신이 나요.

연필은

나무가 엄마거든요.

숲이 고향이거든요.

어휘 풀이

▼ **쓱쓱** 거침없이 일을 손쉽게 해치우는 모양. 예 동생은 금세 숙제를 쓱쓱 해치웠다.

▼ **신** 흥이 나고 즐거운 기분. 예 우리는 신이 나서 박수를 쳤다.

▼ **고향**|옛 고 故, 시골 향 鄕| 자기가 태어나서 자란 곳. 예 내 고향은 서울이다.

1
어휘

이 시에서 연필이 그림을 그리는 모양을 흉내 내는 말은 무엇인가요? (   )

① 쓱쓱   ② 싹싹   ③ 쏙쏙

④ 살살   ⑤ 뚝딱뚝딱

1주
3일

2
이해

서술형

연필은 언제 신난다고 하였는지 쓰세요.

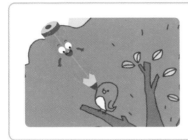

연필은 _____

신난다.

3
표현

스스로 독해 해결!

'나무'와 '숲'을 무엇이라고 표현하였는지 각각 찾아 선으로 이으세요.

(1) 나무 •   • ① 연필의 고향

(2) 숲 •   • ② 연필의 엄마

4
요약

이 시의 내용을 정리하여 빈칸에 알맞은 말을 각각 쓰세요.

연필은 산 그릴 때 잘 그리고 ❶   그릴 때 신난다.

연필의 엄마는 나무이고 연필의 고향은 ❷   이기 때문이다.

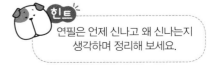
힌트
연필은 언제 신나고 왜 신나는지
생각하며 정리해 보세요.

1 다음 문장에서 바르게 쓴 낱말을 각각 골라 ○표를 하세요.

(1) (숩 , 숲)에 가서 맑은 공기를 마셨다.
 ↳ 나무들이 무성하게 우거지거나 꽉 들어찬 것.

(2) 우리 엄마의 (고양, 고향)은 충청남도 공주이다.
 ↳ 자기가 태어나서 자란 곳.

2 보기 에서 다음 그림과 문장에 알맞은 기분을 나타내는 말을 각각 찾아 쓰세요.

> 보기
> 궁금해요   당황스러워요   신나요   우울해요

(1) 방학을 해서 　　　　　.

(2) 친구와 다퉈 　　　　　.

(3) 어떤 선물일지 　　　　　.

(4) 지갑을 두고 와서 당황스러워요 .

힌트
나는 맛있는 걸 먹을 때 신나고, 엄마한테 혼나면 우울해요. 다른 친구들은 언제 신나고, 언제 우울한지 찾아보아요. 그리고 무엇이 궁금하고 언제 당황스러운지도 살펴보아요.

● 연필로 여러 가지 모양을 이용하여 신나게 그림을 그렸어요. ◯ 표시한 부분을 보고 어떤 모양을 이용하여 그림을 그렸는지 각각 골라 ◯표를 하세요.

(1)

→ (△ , □ , ◯) 모양을 이용하여 그림을 그렸어요.

(2)

→ (△ , □ , ◯) 모양을 이용하여 그림을 그렸어요.

(3)

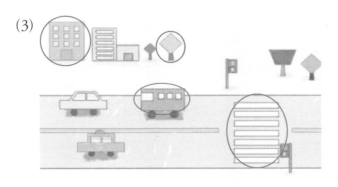

→ (△ , □ , ◯) 모양을 이용하여 그림을 그렸어요.

동시 「연필이 신날 때」의 내용을 떠올리며 △ **모양**, □ **모양**, ◯ **모양의 특징**을 알고 각각의 모양을 이용하여 그림을 그려 볼 수 있습니다.

발명왕 에디슨

공부한 날   월   일

인물에게 본받을 점을 찾아라!

「발명왕 에디슨」을 읽고 에디슨에게 본받을 점을 찾아보세요.

에디슨이 한 일이 무엇인지 알고 에디슨이 한 말과 행동을 살펴보면

에디슨에게 본받을 점을 찾을 수 있답니다.

● 오늘 공부할 글과 그림을 미리 보고, 알맞은 낱말을 각각 찾아 표시하세요.

에디슨은 여러 가지 재료들을 이용해서 계속 새로운 전구를 만들어 보았습니다. 하지만 번번이 실패했습니다.

1주
4일

1 '매 때마다.'라는 뜻의 낱말을 찾아 ○표를 하세요.

2 '일을 잘못하여 뜻한 대로 되지 않거나 그르침.'이라는 뜻의 낱말을 찾아 △표를 하세요.

최초의 백열전등에 대해 알아보기

발명왕 에디슨

스스로 독해

에디슨에게 본받을 점은 무엇인가요? 점선 부분을 따라 선을 그으며 읽고 답을 생각해 보세요.

　　에디슨은 전구를 발명해서 사람들이 밤에도 낮처럼 편하게 일하고 책도 읽을 수 있게 하고 싶었습니다.

　　에디슨은 여러 가지 재료들을 이용해서 계속 새로운 전구를 만들어 보았습니다. 하지만 번번이 ⑤실패했습니다.

　　몇 달이 지나자, 에디슨의 친구가 걱정스러운 얼굴로 물었습니다.

　　"이보게, 에디슨. 벌써 천 번이 넘게 실패했는데 그만 포기하고 싶지 않은가?"

　　하지만 에디슨은 아무렇지 않게 말했습니다.

　　"실패라니! 난 새로운 방법으로 계속 공부하고 있는 것뿐이야."

　　그 후에도 에디슨은 포기할 생각을 하지 않았습니다.

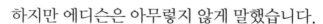

　　에디슨은 이천 번이 넘게 도전한 끝에, 마침내 제대로 된 전구를 만드는 데 성공했습니다. 그 전구는 오랫동안 불을 켤 수 있었고, 촛불이나 램프보다 훨씬 더 밝은 빛을 냈습니다.

어휘 풀이

▼ **전구**|번개 전 電, 공 구 球|　전류를 통하여 빛을 내는 기구.

▼ **번번**|차례 번 番, 차례 번 番|이　매 때마다. ㉰ 좋은 기회를 번번이 놓치는 것이 아쉬웠다.

▼ **실패**|잃을 실 失, 패할 패 敗|　일을 잘못하여 뜻한 대로 되지 않거나 그르침.
　㉰ 채민이는 실패를 두려워하지 않고 도전했다.

▼ **포기**|던질 포 抛, 버릴 기 棄|　하려던 일을 도중에 그만두어 버림. ㉰ 쉽게 포기하지 마.

▲ 전구

▶ 정답 및 해설 11쪽

서술형

1 에디슨이 전구를 발명하고 싶었던 까닭은 무엇인지 쓰세요.
이해

> 사람들이 밤에도 낮처럼 편하게 일하고 _____
>
> _____ 하고 싶었기 때문이다.

2 ㉠'실패'와 뜻이 반대인 말을 이 글에서 찾아 쓰세요.
어휘

3 이 글에 나타난 에디슨의 성격은 어떠한가요? (　　　　)
유추

① 게으르다.　　　　　　　② 명랑하다.

③ 이기적이다.　　　　　　④ 남의 말을 잘 듣는다.

⑤ 쉽게 포기하지 않는다.

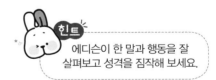

힌트
에디슨이 한 말과 행동을 잘
살펴보고 성격을 짐작해 보세요.

스스로 독해 해결!

4 이 글에서 에디슨이 한 일과 에디슨에게 본받을 점이 무엇인지 정리하여 빈칸에
요약 알맞은 말을 각각 쓰세요.

에디슨이 한 일		에디슨에게 본받을 점
이천 번이 넘게 도전하여 제대로 된 ❶ _____ 를 만들었다.	→	쉽게 ❷ _____ 하지 않고 계속해서 도전하는 정신을 본받을 수 있다.

1 다음 설명을 잘 읽고 문장에서 밑줄 그은 낱말의 뜻을 찾아 각각 선으로 이으세요.

> **−왕** '일정한 분야나 범위 안에서 으뜸이 되는 사람이나 동물'의 뜻을 더하는 말.

(1) 에디슨은 천 가지가 넘는 발명품을 만들어 낸 <u>발명왕</u>이다. •

① 저축을 가장 많이 하는 사람을 빗대어 이르는 말.

(2) 내 짝은 용돈을 아껴 열심히 저축하여 우리 반 <u>저축왕</u>이 되었다. •

② 컴퓨터를 매우 잘하는 사람을 빗대어 이르는 말.

(3) 우리 누나는 컴퓨터 프로그램을 잘 다루어 '<u>컴퓨터왕</u>'이라는 별명이 붙었다. •

③ 아직까지 없던 기술이나 물건을 새로 생각하여 만들어 내는 데 가장 뛰어난 사람.

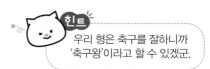
힌트 우리 형은 축구를 잘하니까 '축구왕'이라고 할 수 있겠군.

2 빈칸에 알맞은 낱말을 보기 에서 각각 찾아 쓰세요.

> **보기**
>
> 도전 실패 포기

(1) 에디슨은 [   ]할 생각을 하지 않았습니다.
→ 하려던 일을 도중에 그만두어 버림.

(2) 에디슨은 이천 번이 넘게 [   ]한 끝에, 마침내 제대로 된 전구를 만드는 데 성공했습니다.
→ 가치 있는 것이나 목표한 것을 얻기 위해 어려움에 맞섬.

● 발명왕 에디슨이 남긴 유명한 말들이 많이 있어요. 다음 기호가 나타내는 글자가 무엇인지 알아보고, 에디슨이 남긴 유명한 말이 무엇인지 빈칸에 알맞은 말을 각각 쓰세요.

기호	♣	♥	◉	★	♠	◆	◈
나타내는 글자	패	도	실	리	포	원	전

에디슨이 남긴 유명한 말 나는 한 번도 (1) [   ] 한 적이 없다. 단지 전구가

빛을 내지 않은 2000가지 (2) [   ] 를 알아냈을 뿐이다.

「발명왕 에디슨」의 내용을 떠올리며 **에디슨이 남긴 유명한 말**을 알아보고, **에디슨의 포기하지 않고 도전하는 정신**을 본받을 수 있습니다.

차 조심 길 조심

공부한 날　　　월　　　일

안내문을 쓴 까닭을 찾아라!

「차 조심 길 조심」을 읽고 글을 쓴 까닭을 찾아보세요.

이 글을 쓴 까닭을 찾으려면 제목이 무엇인지 알고

무엇을 안내하는 글인지 살펴보아야 해요.

똑똑한 하루 독해 미리 보기

◉ 오늘 공부할 글의 그림을 미리 보고, 빈칸에 알맞은 낱말을 각각 찾아 쓰세요.

| 수칙 | 야간 | 차도 |

가지고 놀던 공이 ❶ ☐☐ 로 굴러갔을 때는 어떻게 해야 할까요?
↳사람이 다니는 길 따위와 구분하여 자동차만 다니게 한 길.

❷ ☐☐ 이나 눈·비가 올 때는 어떤 옷을 입어야 할까요?
↳해가 진 뒤부터 먼동이 트기 전까지의 동안.

안전한 교통 생활 ❸ ☐☐ 을 알아보아요.
↳지켜야 할 사항을 정한 규칙.

교통안전
관련 동영상
시청하기

차 조심 길 조심

어린이
보호 구역

스스로 독해

⬭ 속 말을 색칠해 보아요. 무엇을 안내하는 글인지 알려 주는 말이랍니다.

안전한 교통 생활 수칙

• 통학할 때는 항상 다니던 안전한 길을 이용합니다.

• 횡단보도를 건널 때는 신호가 바뀌자마자 뛰어 들어가지 않습니다.

  – 모든 차가 멈춘 것을 확인하고 건너갑니다.

  – 휴대 전화로 게임을 하거나 통화를 하면서 건너가지 않습니다.

• 차에서 내릴 때는 자전거나 오토바이가 지나가는지 확인하고 내립니다.

• 세워 둔 차의 바로 앞이나 뒤에서 놀지 않습니다.

• 가지고 놀던 공이 ㉠차도로 굴러가도 절대로 뛰어나가지 않습니다.

• 차도에서는 인라인스케이트나 킥보드를 타지 않습니다.

• 야간 및 눈·비가 올 때는 눈에 잘 띄는 옷을 입습니다.

어휘 풀이

▼ **수칙**|지킬 수 守, 법 칙 則| 지켜야 할 사항을 정한 규칙.

  예 안전 수칙을 지키지 않을 때마다 사고 위험은 커진다.

▼ **통학**|통할 통 通, 배울 학 學| 집에서 학교까지 다님. 예 이사를 해서 통학 시간이 길어졌다.

▼ **차도**|수레 차 車, 길 도 道| 사람이 다니는 길 따위와 구분하여 자동차만 다니게 한 길.

  예 차도로 걸어 다니는 것은 매우 위험하다.

▼ **야간**|밤 야 夜, 사이 간 間| 해가 진 뒤부터 먼동이 트기 전까지의 동안. 예 우리 아빠는 야간 근무 중이시다.

1
어휘

㉠'차도'와 뜻이 비슷한 말은 무엇인가요? (   )

① 인도   ② 보도   ③ 산길

④ 찻길   ⑤ 골목

2
이해

다음 중 이 글의 내용을 이해하고 잘 실천한 그림을 골라 기호를 쓰세요.

㉮   ㉯   ㉰

(   )

힌트
그림 속 어린이가 안전한 교통 생활 수칙을
잘 지키고 있는지 살펴보세요.

서술형

3
이해

차에서 내릴 때는 무엇을 확인해야 하는지 쓰세요.

차에서 내릴 때는 _____

지나가는지 확인하고 내린다.

스스로 독해 해결!

4
요약

이 글은 무엇을 안내하고 있는지 빈칸에 알맞은 말을 보기 에서 각각 찾아 쓰세요.

보기

교통   학교   위험한   안전한

이 글은 ❶   ❷   생활 수칙을 안내하고 있다.

1 다음 그림에 알맞은 낱말을 보기 에서 각각 찾아 빈칸에 쓰세요.

> 보기
> • 인도: 사람이 다니는 길.
> • 차도: 사람이 다니는 길 따위와 구분하여 자동차만 다니게 한 길.
> • 횡단보도: 사람이 가로로 건너다닐 수 있도록 안전표지나 도로 표지를 설치하여 차도 위에 마련한 길.

(1)

(2)

(3)

> 힌트
> 그림에서 인도, 차도, 횡단보도를
> 구분해 보세요.

2 다음 문장에 알맞은 낱말을 보기 에서 각각 찾아 쓰세요.

> 보기
> 수칙   야간   통학

(1) 언니는 고등학생이 되면서 기차로   하였다.

(2) 학교에서는 안전   을 반드시 지켜야 한다.

(3) 우리 삼촌은 주간에는 회사에서 일하시고   에는 대학에 다니신다.

◉ 「차 조심 길 조심」의 내용을 떠올리며 채민이가 안전한 교통 생활 수칙을 잘 지켰는지 안 지켰는지 ◯표를 하고, 게임 규칙에 따라 채민이의 안전한 교통 생활 수칙 점수는 몇 점인지 계산하여 빈칸에 쓰세요.

| 게임 규칙 | • 안전한 교통 생활 수칙을 잘 지켰으면 2점을 더한다.
• 안전한 교통 생활 수칙을 안 지켰으면 3점을 뺀다. |

 채민이의 안전한 교통 생활 수칙 점수는 　　 점이다.

 「차 조심 길 조심」의 내용을 떠올리며 **안전한 교통 생활 수칙**을 다시 한번 되새겨 보고 **한 자리 수의 덧셈과 뺄셈**을 연습해 봅니다.

[1~3] 다음 글을 읽고, 물음에 답하세요.

> ⊙"애들아, 엄마다. 문 열어라."
>
> 호랑이는 어머니 목소리를 흉내 내어 다정하게 말했어요. 그 목소리를 듣고, 누이동생이 문을 열려고 하자 오빠가 얼른 누이동생 손목을 붙잡았어요.
>
> "엄마 목소리가 아니야!"
>
> 호랑이는 ⊙장터에서 하도 소리를 질러 목소리가 쉰 거라고 둘러댔어요.
>
> "그럼, 문틈으로 손을 밀어 넣어 보세요."
>
> 다시 오빠가 말하자, 호랑이는 시키는 대로 앞발을 불쑥 내밀었지요.

1 ⊙은 누가 한 말인가요? (　　　　)

① 오빠　　　　　② 엄마
③ 호랑이　　　　④ 누이동생
⑤ 옆집 아저씨

2 ⊙의 뜻으로 알맞은 것의 숫자를 쓰세요.

> ① 나무들이 무성하게 우거지거나 꽉 들어찬 곳.
> ② 많은 사람들이 모여 물건을 사고파는 장이 서는 곳.

(　　　　　　　)

3 이 글에서 누이동생의 성격은 어떠한지 골라 ○표를 하세요.

(1) 남을 잘 믿는다. 　　　　　(　　　)
(2) 매우 조심스럽다. 　　　　　(　　　)

[4~5] 다음 글을 읽고, 물음에 답하세요.

> | ⊙ |
> | --- |
>
> 빨강, 파랑, 노랑, 초록, 보라 등등. 우리 눈은 약 1만 7천 가지의 색깔을 알아볼 수 있다고 해요. 색색의 아름다운 세상을 볼 수 있게 해 주는 눈은 우리 몸의 보배이지요.
>
> 하지만 개는 색깔을 구별하는 능력이 사람보다 약하다고 해요. 보는 능력도 사람보다 약해서 세상이 흐릿하게 보인다고 해요. 대신 코와 귀의 기능이 뛰어나서 사람보다 훨씬 냄새도 잘 맡고 소리도 잘 듣는답니다.

4 　⊙　안에 들어갈 말로 알맞은 것은 무엇인가요? (　　　　)

① 개는 무척 귀엽습니다.
② 개는 똑똑한 동물입니다.
③ 개는 사람과 아주 친합니다.
④ 개는 산책하는 것을 좋아합니다.
⑤ 개에게는 세상이 우리와 다르게 보인다고 합니다.

5 다음 중 개가 보는 세상의 모습으로 알맞은 것을 골라 ○표를 하세요.

(1)  　　　　(　　　)

(2)  　　　　(　　　)

[6~7] 다음 시를 읽고, 물음에 답하세요.

> 연필은
> 산 그릴 때
> 쓱쓱 잘 그려요.
>
> 연필은
> 새 그릴 때
> 쓱쓱 신이 나요.
>
> 연필은
> 나무가 엄마거든요.
> 숲이 고향이거든요.

6 연필은 새를 그릴 때 어떤 마음이 드나요?
( )

① 슬프다.　　② 놀랍다.
③ 무섭다.　　④ 신이 난다.
⑤ 기대가 된다.

7 이 시에서 '나무'를 무엇이라고 표현하였는지 빈칸에 찾아 쓰세요.

• 연필의 ▢▢▢

8 다음 낱말 뜻과 어울리는 물건을 골라 ○표를 하세요.

> 전류를 통하여 빛을 내는 기구.

(1)
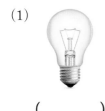
( )

(2)

( )

[9~10] 다음 글을 읽고, 물음에 답하세요.

> • 차에서 내릴 때는 자전거나 오토바이가 지나가는지 확인하고 내립니다.
> • 세워 둔 차의 바로 앞이나 뒤에서 놀지 않습니다.
> • 가지고 놀던 공이 차도로 굴러가도 절대로 뛰어나가지 않습니다.
> • 차도에서는 인라인스케이트나 킥보드를 타지 않습니다.
> • 야간 및 눈·비가 올 때는 눈에 잘 띄는 옷을 입습니다.

9 이 글을 읽고 교통 생활 수칙을 바르게 지킨 친구는 누구인지 이름을 쓰세요.

> 준수: 차도에서는 킥보드를 타지 않았어.
> 은지: 친구와 세워 둔 차의 바로 뒤에서 놀았어.
> 서현: 굴러가는 공을 빨리 잡으려고 차도로 뛰어나갔어.

( )

10 밤이나 눈·비가 올 때 어떤 색 옷을 입는 것이 안전한지 골라 ○표를 하세요.

(1) ▰ ( )
(2) ▰ ( )
(3) ▰ ( )

창의

1 다음 만화를 읽고, 1주차에서 배운 낱말을 떠올려 어휘 퀴즈에 알맞은 낱말을 빈칸에 각각 쓰세요.

▶ 정답 및 해설 13쪽

🐻 어휘 퀴즈

1 '여러 가지 색깔.'을 뜻하는 말은? →

2 '자기가 태어나서 자란 곳.'을 뜻하는 말은? →

3 '해가 진 뒤부터 먼동이 트기 전까지의 동안.'을 뜻하는 말은? →

코딩
2 시 「연필이 신날 때」에 나오는 연필이 고향을 찾아가려고 해요. 코딩 명령을 따라가서 연필의 고향이 어디인지 찾아 써 보세요.

코딩 명령

▶ 출발하기 버튼을 눌렀을 때
3 번 반복하기
→ 방향으로　1　칸 움직이기 ⇄
↓ 방향으로　1　칸 움직이기 ⇄

코딩 명령 풀이

연필은 → 방향으로 한 칸,
↓ 방향으로 한 칸, 이렇게 세 번
반복해서 이동해야 해요.

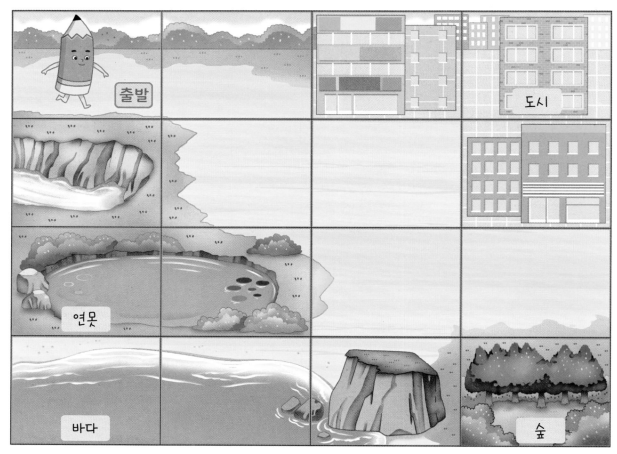

연필의 고향은 많은 나무가 자라는 [　　　　　] 입니다.

융합

3 에디슨이 전구를 발명한 뒤 사회가 어떻게 달라졌는지 그림을 찾아 숫자에 ○표를 하고, 빈 칸에 들어갈 말을 한 글자로 쓰세요.

에디슨은 이천 번이 넘게 도전한 끝에, 마침내 제대로 된 전구를 만드는 데 성공했습니다. 그 전구는 오랫동안 불을 켤 수 있었고, 촛불이나 램프보다 훨씬 더 밝은 빛을 냈습니다.

 사람들이 [　　] 에도 낮처럼 편하게 일할 수 있게 되었어요.

창의
4
생활 어휘

라면 봉지를 보고 알맞은 말에 ◯표를 하세요.

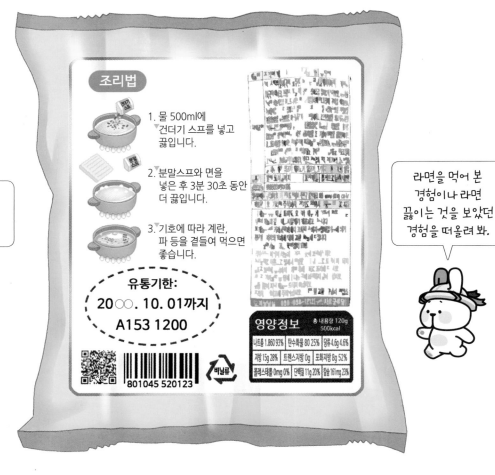

라면을 맛있게 끓이는 방법을 설명하고 있네.

라면을 먹어 본 경험이나 라면 끓이는 것을 보았던 경험을 떠올려 봐.

조리법

1. 물 500ml에 건더기 스프를 넣고 끓입니다.

2. 분말스프와 면을 넣은 후 3분 30초 동안 더 끓입니다.

3. 기호에 따라 계란, 파 등을 곁들여 먹으면 좋습니다.

유통기한:
20◯◯. 10. 01까지
A153 1200

801045 520123

영양정보 총 내용량 120g 500kcal

애들아, 분말스프는 (1) (가루 , 건더기)로 만든 것을 말해. 그리고 기호에 따라 계란, 파 등을 곁들여 먹으면 좋다는 것은 네 (2) (입맛 , 입 크기)에 따라 원하는 것을 함께 먹으라는 뜻이야.

어휘 풀이

▼건더기 스프　국물에 넣어 맛을 내도록 만든 건더기 형태의 수프. '건더기 수프'가 맞는 말임.

▼분말|가루 분 粉, 끝 말 末|스프　건더기, 첨가물 따위를 가루로 만든 수프. '분말수프'가 맞는 말임.
　　例 요즘은 간단히 끓여 먹을 수 있는 건더기 수프와 분말스프가 많이 나와 있다.

▼기호|즐길 기 嗜, 좋을 호 好|　즐기고 좋아함. 例 각자 기호에 맞는 음식을 주문하기로 했다.

창의
5

생활 한자

夜(밤 야) 자에 대해 알아보고, 다음 물음에 답하세요.

밤 야 · 밤 야

夜 자는 사람의 옆구리에 달을 그린 것으로 어두운 '밤'이라는 뜻을 표현한 글자예요.

(1) 夜 자가 들어간 낱말을 알아보고, 한자의 음을 쓰세요.

① 夜景이 참으로 아름다웠다.

　　　 경

힌트
38쪽에서 공부한 '야간'에 쓰인 夜(밤 야) 자에 대해 알아보아요.

② 올빼미는 夜行性 동물이다.

　　 행　성

(2) 한자 성어의 뜻을 알아보고, 빈칸에 알맞은 한자를 쓰세요.

夜　半　逃　走
밤 **야**　반 **반**　달아날 **도**　달릴 **주**

남의 눈을 피하여 한밤중에 도망함.

• 사장님은 밀린 월급을 주지 않고  半 逃 走 (야반도주)를 하였다.

1-1 다음 그림에서 동그라미 친 부분을 보고, 문장에 넣을 바른 낱말을 골라 ○표를 하세요.

생쥐 남매들은 추녀 밑 (고드름 , 고들음)을 녹여 눈곱도 닦고, 콧구멍도 씻고, 수염도 씻었어요.

1-2 다음 중 고드름 사진을 골라 ○표를 하세요.

(1)

( )

(2)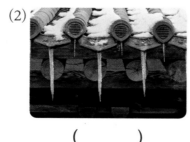

( )

(3)

( )

> **힌트**
> '고드름'은 위에서 떨어지는 물이 얼어붙은 것이어서 모양이 길쭉해요.

▶ 정답 및 해설 14쪽

2-1 밑줄 그은 '집안일'의 뜻으로 알맞은 것을 골라 ○표를 하세요.

우리는 깊게 생각하지 않고 집안일은 아빠의 일이 아니라고 생각하기 때문에 아빠가 집안일을 '돕는다.'고 말하는 것이지요.

(1) 한 가정의 살림살이를 맡아 꾸려 가는 안주인.　　　　　　(　　)

(2) 살림을 꾸려 나가면서 해야 하는 여러 가지 일. 빨래, 밥하기, 청소 따위를 이름.

(　　)

2-2 다음 문장에서 밑줄 그은 낱말을 바르게 고쳐 쓰세요.

> 우리 집은 일요일에 온 식구가 다 같이 빨래, 청소 등 지반닐을 해요.

☐ ☐ ☐

힌트
빨래, 청소와 같이 살림을 꾸려 나가면서 해야하는
여러 가지 일을 무엇이라고 하는지 생각해 봐요.

1일

이야기 (문학)

벌거벗은 임금님

공부한 날   월   일

이야기에서 인물의 마음을 알아보자!

이야기 「벌거벗은 임금님」을 읽고 인물의 마음을 알아보아요.

인물의 말과 행동을 살펴보면 인물이 어떤 마음인지 알 수 있어요.

● 오늘 공부할 글과 그림을 미리 보고, 알맞은 낱말을 각각 찾아 표시하세요.

사기꾼들은 임금님에게 새 옷을 입혀 주며 거짓말을 했어요.

"이 옷은 바보의 눈에는 보이지 않는 옷이랍니다."

임금님은 옷이 보이지 않았지만 바보라고 할까 봐 보이는 척을 했어요.

"오, 정말 내 마음에 쏙 드는 옷이구나."

1 '자신의 이익을 위해 남을 속이는 일을 자주 하는 사람.'이라는 뜻의 낱말을 찾아 ◯표를 하세요.

2 '마음에 꼭 드는 모양.'이라는 뜻의 낱말을 찾아 △표를 하세요.

이야기를 쓴
안데르센에 대해
알아보기

벌거벗은 임금님

안데르센

스스로 독해

벌거벗었다는 말을 들은 임금님은 어떤 마음일까요? 점선 부분을 따라 선을 그으며 임금님의 마음을 알아봐요.

사기꾼들은 임금님에게 새 옷을 입혀 주며 거짓말을 했어요.

"이 옷은 바보의 눈에는 보이지 않는 옷이랍니다."

임금님은 옷이 보이지 않았지만 바보라고 할까 봐 보이는 척을 했어요.

"오, 정말 내 마음에 쏙 드는 옷이구나."

임금님은 새 옷을 자랑하러 밖으로 나갔어요. 바보의 눈에는 보이지 않는다는 임금님의 새 옷을 보려고 사람들이 몰려들었어요.

"정말 훌륭한 옷이야."

다들 바보 소리를 듣고 싶지 않아서 이렇게 말했어요. 그런데 한 아이가 소리를 쳤어요.

"임금님이 벌거벗었네?"

사람들은 그 소리를 듣고 모두 함께 크게 웃으며 말했어요.

"그래, 벌거벗었어. 하하하, 벌거숭이 임금님이야."

임금님은 그만 얼굴이 빨개져서 성으로 돌아가고 말았답니다.

어휘 풀이

▼**사기**|속일 사 詐, 속일 기 欺|**꾼**   자신의 이익을 위해 남을 속이는 일을 자주 하는 사람.

　　예 사기꾼들이 사람들을 속여 돈을 벌었다.

▼**척**   사실이 아닌 것을 사실인 것처럼 꾸미는 거짓 태도나 모양.

　　예 동생은 형의 새 옷이 부러웠지만 아닌 척을 하였다.

▼**벌거숭이**   옷을 다 벗은 알몸뚱이. 예 아이들은 개울에서 벌거숭이가 되어 헤엄을 쳤다.

1
이해

사기꾼이 임금님에게 한 거짓말에 ◯표를 하세요.

(1) 이 옷은 바보의 눈에만 보이는 옷이랍니다.
(   )

(2) 이 옷은 바보의 눈에는 보이지 않는 옷이랍니다.
(   )

2주 1일

2
이해

서술형

거리에서 임금님을 본 사람들이 처음 한 말을 쓰세요.

"	정	말	∨				∨		이	야	."

3
유추

스스로 독해 해결!

'벌거숭이 임금님'이라는 말을 들은 임금님은 어떤 마음이었을까요? (   )

① 기쁘다.
② 즐겁다.
③ 행복하다.
④ 부끄럽다.
⑤ 자랑스럽다.

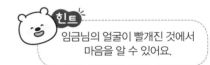

힌트
임금님의 얼굴이 빨개진 것에서 마음을 알 수 있어요.

4
요약

이 글의 내용을 정리하여 빈칸에 알맞은 말을 각각 쓰세요.

사기꾼이 임금님에게 ❶ ⬜⬜ 의 눈에는 보이지 않는 옷이라고 거짓말을 하였다.

임금님은 바보 소리를 들을까 봐 ❷ ⬜ 이 보이는 척하고 벌거벗고 밖으로 나갔다.

한 아이가 임금님이 벌거벗었다고 하자 모두 웃었고, 임금님은 얼굴이 빨개졌다.

1 다음 문장의 빈칸에 알맞은 말을 보기 에서 골라 쓰세요.

보기

| 착 | 척 | 촉 | 축 |

임금님은 옷이 보이지 않았지만 바보라고 할까 봐 보이는 [　] 을 했어요.

2 다음 보기 처럼 빈칸에 알맞은 말을 넣어 '-꾼'이 들어가는 낱말을 완성하세요.

보기

내 간을 줄게.
용궁에 가자.

남을 속이는 사람.

| 사 | 기 | 꾼 |

(1) 일을 해 주는 사람.

| | 꾼 |

(2) 구경하는 사람.

| | | 꾼 |

3 다음 그림의 임금님에게 어울리는 말에 ○표를 하세요.

(1)

| 벌 | 거 | 숭 | 이 | (　　)

(2)

| 털 | 북 | 숭 | 이 | (　　)

힌트
'털북숭이'는 '털이 많이
난 것.'을 뜻해요.

● 이야기 「벌거벗은 임금님」에서 사기꾼들이 임금님에게 거짓말을 하고 있어요. 임금님은 사기꾼들에게 금화를 몇 개 주었을까요? 덧셈을 하여 풀어 보세요.

임금님, 저희가 세상에서 가장 화려한 옷감을 짜서 아름다운 옷을 만들어 드리겠습니다. 이 옷감은 바보의 눈에는 보이지 않는답니다. 임금님의 윗옷은 금화 5개, 바지는 금화 6개를 주시면 됩니다.

오! 그렇다면 내게 윗옷과 바지를 만들어 주게.

임금님은 윗옷값으로 금화 (1)　　　　　 개, 바지값으로 금화 (2)　　　　　 개를 주어 총 금화 (3)　　　　　 개를 사기꾼에게 주었을 것입니다.

 이야기 「벌거벗은 임금님」에 나오는 사기꾼들이 윗옷값과 바지값으로 얼마를 달라고 하였는지 잘 읽고 **덧셈을 하여 임금님이 금화 몇 개를 주었을지** 풀어 봅니다.

2일 돈을 맡아 주는 은행

경제 (비문학)

공부한 날   월   일

글을 읽고 무엇을 하는 곳인지 알아보자!

「돈을 맡아 주는 은행」을 읽으며 은행이 무엇을 하는 곳인지 알아봐요.

이 글의 제목과 글에서 설명하는 내용 중 중요한 내용을 잘 살펴보면

은행에서 하는 일을 알 수 있어요.

◉ 오늘 공부할 글의 그림과 사진을 미리 보고, 빈칸에 알맞은 낱말을 보기 에서 각각 찾아 쓰세요.

보기

예금   은행   이자

❶

사람들의 돈을 맡아 주고 필요한 사람에게 돈을 빌려주는 기관.
⑩ ○○은 돈을 안전하게 맡아 준다.

❷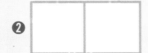

은행이나 우체국 따위에 돈을 맡기는 일. 또는 그 돈.
⑩ 은행에 ○○을 하면 돈을 잘 보관할 수 있다.

❸

돈을 빌려준 값으로 일정하게 받는 돈.
⑩ 사람들은 은행에 돈을 안전하게 맡기면서 ○○까지 받을 수 있다.

은행에서
하는 일
더 알아보기

돈을 맡아 주는 은행

스스로 독해

은행은 무엇을 하는 곳일까요? 점선 부분을 따라 선을 그으며 읽어 보고 답을 찾아 보세요.

옛날 사람들은 돈을 안전하게 보관하는 데 어려움을 겪었어요. 하지만 지금은 그런 걱정을 할 필요가 없어요. 돈을 안전하게 맡아 주는 은행이 있으니까요.

㉠은행에 돈을 맡기는 것을 '예금'이라고 해요. 은행에 예금을 하면 이자가 붙어요. 이자는 ㉡돈을 맡겨 놓아서 받는 돈이에요. 은행은 사람들이 맡긴 돈을 사람이나 회사에 빌려주는 등의 일을 하면서 돈을 벌어요. 그리고 그렇게 벌어들인 돈의 일부를 맡긴 사람들에게 이자로 되돌려 주는 거예요. 사람들은 은행에 돈을 안전하게 맡기면서 이자까지 받을 수 있어서 좋고, 은행은 사람들이 맡긴 돈으로 돈을 벌 수 있으니 서로에게 도움이 된답니다.

어휘 풀이

▼ **안전**|편안할 안 安, 온전할 전 全| 위험이 생기거나 사고가 날 걱정이 없음. 또는 그런 상태.
  예) 불이 나면 안전한 곳으로 피해야 한다.

▼ **보관**|보전할 보 保, 피리 관 管| 물건을 맡아서 간직하고 관리함. 예) 신발은 신발장에 보관한다.

▼ **예금**|미리 예 預, 쇠 금 金| 은행이나 우체국 따위에 돈을 맡기는 일. 또는 그 돈. 예) 은행에서 예금을 찾았다.

▼ **이자**|이로울 이 利, 아들 자 子| 돈을 빌려준 값으로 일정하게 받는 돈.
  예) 놀부는 돈을 빌려주고 비싼 이자를 받았다.

1
어휘

㉠과 ㉡을 뜻하는 말은 무엇인지 각각 선으로 이으세요.

(1) | ㉠ 은행에 돈을 맡기는 것 | •

(2) | ㉡ 돈을 맡겨 놓아서 받는 돈 | •

• ① | 이자

• ② | 예금

2
이해

서술형

은행이 없던 옛날에는 사람들이 무엇에 어려움을 겪었는지 쓰세요.

돈을 ＿＿＿＿＿＿＿＿＿＿＿＿＿＿＿＿＿하는 데 어려움을 겪었다.

힌트
은행이 하는 일은 무엇인지와
관련지어 생각해 봐요.

3
이해

스스로 독해 해결!

은행은 무엇을 하는 곳인가요? (　　　　)

① 불이 나면 불을 꺼 준다.
② 집을 안전하게 지켜 준다.
③ 아픈 사람을 치료해 준다.
④ 돈을 안전하게 맡아 준다.
⑤ 맛있는 음식을 만들어 준다.

4
요약

이 글의 내용을 정리하여 빈칸에 알맞은 말을 각각 쓰세요.

은행에서 하는 일

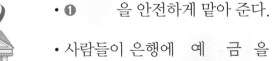

• ❶　　　　을 안전하게 맡아 준다.

• 사람들이 은행에 | 예　금 | 을 하면 은행은 사람들이
맡긴 돈으로 돈을 번다.

• 예금을 한 사람들에게 ❷　　　　를 준다.

1 다음 설명에 알맞은 곳을 골라 숫자에 ◯표를 하세요.

돈을 안전하게 맡아 주는 곳

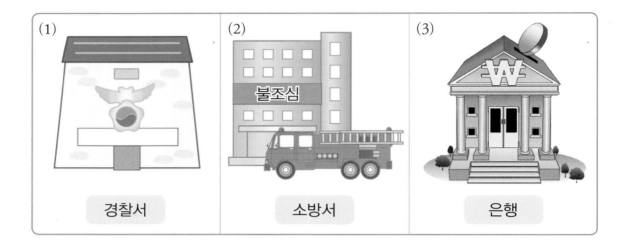

| (1) | (2) | (3) |
| 경찰서 | 소방서 | 은행 |

2 다음 낱말의 받침이 있는 글자를 바르게 따라 써 보세요.

| 겪 | 었 | 어 | 요 | → | | | 어 | 요 |

3 다음 낱말을 소리 나는 대로 바르게 읽은 친구를 찾아 ◯표를 하세요.

(1) 마타 ( )

맡아

(2) 마따 ( )

힌트
크게 소리 내어 읽어 보면서
어떻게 소리 나는지
찾아보세요.

▶ 정답 및 해설 15쪽

◉ 「돈을 맡아 주는 은행」의 내용을 떠올리며 다음 만화를 보고, 알맞은 말에 ◯표를 하세요.

 이 만화에서 부자 영감은 돈을 땅속에 묻어 두었다가 모두 잃고 말았습니다. 이처럼 옛날에는 (은행 , 병원)이 없어서 돈을 보관하는 데 어려움을 겪었습니다.

 「돈을 맡아 주는 은행」의 내용을 떠올리며 **은행이 없어서 돈을 보관하는 데 어려움을 겪었던 옛날** 사회의 모습을 알아봅니다.

황소 아저씨

공부한 날   월   일

이야기에서 인물의 모습과 행동을 상상하자!

이야기 「황소 아저씨」를 읽으며 생쥐들의 모습과 행동을 상상해 봐요.
이야기에 나타난 생쥐들의 생김새와 움직임을 떠올리면
쉽게 상상할 수 있어요.

● 오늘 공부할 글의 그림을 미리 보고, 빈칸에 알맞은 낱말을 각각 찾아 쓰세요.

그루   남매   마리

생쥐 한 ❶ ☐☐ 가 동생들에게 줄 먹을 것을 찾아 황소 아저씨에게 찾아
→ 짐승이나 물고기, 벌레 따위를 세는 말.

왔어요. 황소 아저씨는 생쥐에게 동생들을 모두 데리고 오라고 했어요.

이튿날 생쥐 ❷ ☐☐ 다섯이 오르르 몰려왔어요.
→ 남자와 여자 형제. 또는 오빠와 여동생.

황소 아저씨와 아기 생쥐들은 어떻게 지내게 될까요?

황소 아저씨

권정생

스스로 독해

생쥐들의 모습과 행동은 어떠할까요? 점선 부분을 따라 선을 그으며 읽어 보고 답을 찾아보세요.

이튿날, 생쥐 남매들은 추녀 밑 고드름을 녹여 눈곱도 닦고, 콧구멍도 씻고, 수염도 씻었어요.

"황소 아저씨!"

생쥐 다섯이 오르르 몰려왔어요.

"얼레? 모두 똑같구나!"

황소 아저씨는 생쥐들이 귀여워 ㉠두 눈이 오목오목 커졌어요.

생쥐들은 황소 아저씨랑 사이좋은 식구가 되었지요. 황소 아저씨 등을 타 넘고 다니며 술래잡기도 하고 숨바꼭질도 하였어요.

"오늘부터 나하고 함께 여기서 자자꾸나."

"네, 아저씨!"

생쥐들은 아저씨 목덜미에 붙어 자기도 하고, 겨드랑이에서 자기도 하였어요. 겨울이 다 지나도록 따뜻하게 따뜻하게 함께 살았어요.

어휘 풀이

▼ **남매** | 사내 남 男, 손아랫 누이 매 妹 | 남자와 여자 형제. 또는 오빠와 여동생. 예 나는 삼 남매 중 첫째이다.

▼ **추녀** 네모지고 끝이 번쩍 들린, 지붕의 귀퉁이 부분.

▼ **고드름** 위에서 아래로 떨어지던 물이 길게 얼어붙은 얼음.

▼ **오르르** 조그마한 아이나 동물 따위가 한꺼번에 바쁘게 뛰어나가거나 움직이는 모양. 예 귀여운 아이들이 오르르 달려왔습니다.

추녀 →
고드름

▲ 추녀 밑 고드름

1
어휘

황소 아저씨에게 온 생쥐들은 모두 몇 마리인지 알맞은 말에 ◯표를 하세요.

오   다섯 마리

2
이해

서술형

생쥐들을 본 황소 아저씨가 ㉠처럼 눈이 커진 까닭을 쓰세요.

생쥐들이 _____

3
유추

스스로 독해 해결!

이 글에 나타난 생쥐들의 모습과 행동이 아닌 것은 무엇인가요? (   )

① 함께 오르르 몰려옴.

② 다섯이 모두 똑같이 생김.

③ 황소 아저씨에게 붙어서 잠.

④ 황소 아저씨를 보고 놀라서 도망을 침.

⑤ 황소 아저씨 등을 타 넘고 다니며 놀이를 함.

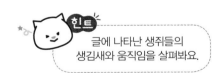

힌트
글에 나타난 생쥐들의
생김새와 움직임을 살펴봐요.

4
요약

이 글의 내용을 정리하여 빈칸에 알맞은 말을 각각 쓰세요.

생쥐들이 ❶   아저씨에게 몰려왔다.

→ 생쥐들은 황소 아저씨랑 사이좋은 ❷   가 되었다.

→ 생쥐들은 겨울이 다 지나도록 황소 아저씨와 따뜻하게 함께 살았다.

▶ 정답 및 해설 16쪽

1 다음 보기 의 낱말 중 빈칸에 들어가기에 알맞은 낱말을 찾아 쓰세요.

> 보기
>
> **자매** 언니와 여동생. 예 콩쥐와 팥쥐는 자매이다.
>
> **남매** 남자와 여자 형제. 또는 오빠와 여동생. 예 누나와 남동생은 남매이다.

우리 가족을 소개합니다. 우리 가족은 엄마와 아빠, 오빠와 나 이렇게 네 명입니다.

우리 □□ 는 한 살 차이입니다.

힌트
오빠와 여동생을 부르는 말을 찾아봐요.

2 다음 낱말로 셀 수 있는 것을 모두 골라 ○표를 하세요.

> **마리** 짐승이나 물고기, 벌레 따위를 세는 말.

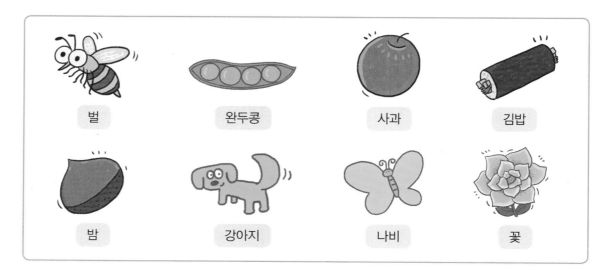

벌   완두콩   사과   김밥

밤   강아지   나비   꽃

◉ 황소 아저씨와 생쥐들이 사이좋게 지내게 된 이야기를 읽었지요? 황소 아저씨 등을 타 넘고 다니며 숨바꼭질을 하고 있는 생쥐를 모두 찾아 ○표를 하고, 모두 몇 마리인지 쓰세요.

 숨바꼭질을 하고 있는 생쥐는 모두   마리입니다.

 이야기 「황소 아저씨」에 나온 한 장면을 떠올려 생쥐들의 모습과 행동을 상상하며 숨어 있는 생쥐들을 찾아봅니다.

아빠가 집안일을 돕는다고?

공부한 날   월   일

표현에 담긴 생각을 알아내자!

'아빠가 집안일을 돕는다.'라는 말을 들어 본 적이 있나요?

뜻 없이 그냥 쓰는 이 표현에는 우리도 모르는 생각이 담겨 있어요.

그냥 지나치지 말고 왜 그렇게 표현하는지 깊게 생각해 보면

표현에 담긴 생각을 알아낼 수 있어요.

◉ 오늘 공부할 글의 그림을 미리 보고, 빈칸에 알맞은 낱말을 각각 찾아 쓰세요.

| 행동 | 생각 | 집안일 | 농사일 |

사람들이 사용하는 말을 보면 그 안에 담긴 ❶ ☐☐ 과 태도를 짐작할 수
→ 어떤 일에 대한 의견이나 느낌.

있어요. '아빠가 ❷ ☐☐☐ 을 돕는다.'라고 말하는 것은 여자와 남자를
→ 살림을 꾸려 나가면서 해야 하는 여러 가지 일.

차별하는 표현이지요. 왜 그럴까요? 이 표현에 담긴 생각은 무엇일까요?

집안일에 대해
알아보기

아빠가 집안일을 돕는다고?

스스로 독해

'아빠가 집안일을 돕는다.'는 표현에 담긴 생각은 무엇일까요? 점선 부분을 따라 선을 그으며 읽어 보고 답을 찾아보세요.

사람들은 말에 자신의 생각을 담아요. 사람들이 사용하는 말을 보면 그 안에 담긴 생각과 ▼태도를 짐작할 수 있지요. 그럼 우리가 쓰는 표현 중에서 여자와 남자를 ▼차별하는 생각이 담긴 것이 있을까요?

보통 우리는 아빠가 집안일을 할 때 ㉠'아빠가 집안일을 돕는다.'라고 말해요. 하지만 엄마가 집안일을 할 때는 '엄마가 집안일을 돕는다.'라고 하지 않아요. '돕다'는 '남이 하는 일이 잘되도록 힘을 보태다.'라는 뜻이에요. 우리는 깊게 생각하지 않고 집안일은 아빠의 일이 아니라고 생각하기 때문에 아빠가 집안일을 '돕는다.'고 말하는 것이지요. 요즈음에는 이런 표현들을 바꾸자는 운동이 일어나 여자와 남자를 차별하는 생각에서 벗어나기 위해 노력하고 있어요.

집안일을 돕는다?

어휘 풀이

▼**태도**|모양 태 態, 법도 도 度| 어떤 일이나 상황 따위에 대한 입장.
   ⑩ 이 사건에 대한 우리의 태도를 분명히 해야겠다.

▼**차별**|어그러질 차 差, 다를 별 別| 둘 이상의 대상을 각각 등급이나 수준 따위의 차이를 두어서 구별함.
   ⑩ 옛날에는 피부색에 따라 차별을 한 적도 있었다고 한다.

▼**집안일**   살림을 꾸려 나가면서 해야 하는 여러 가지 일. 빨래, 밥하기, 청소 따위를 이름.
   ⑩ 집안일은 모든 가족이 함께 해야 한다.

1

이해

이 글에서 보통 우리가 쓰는 표현이라고 한 말을 찾아 ◯표를 하세요.

(1) 엄마가 집안일을 돕는다. (   )

(2) 아빠가 집안일을 돕는다. (   )

2

어휘

서술형

이 글에서 설명한 '돕다'의 뜻을 쓰세요.

남이 하는 일이 _____ 보태다.

3

유추

스스로 독해 해결!

㉠에 담긴 생각은 무엇인가요? (   )

① 집안일은 하지 않아야 한다.

② 집안일은 아빠의 일이 아니다.

③ 아빠가 집안일을 제일 잘한다.

④ 아빠가 집안일을 다 해야 한다.

⑤ 집안일은 모두 함께 해야 한다.

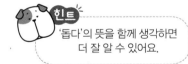

힌트
'돕다'의 뜻을 함께 생각하면
더 잘 알 수 있어요.

4

요약

이 글의 내용을 정리하여 빈칸에 알맞은 말을 각각 쓰세요.

'❶   가 집안일을 돕는다.'는 말에는 여자와 남자를 차별하는 생각이 담겨 있다. ❷   은 아빠의 일이 아니라고 생각하기 때문에 이렇게 말하는 것이다. 요즈음에는 이 표현을 바꾸려고 노력하고 있다.

1 다음 낱말에 어울리지 <u>않는</u> 사진에 ×표를 하세요.

> 집안일 살림을 꾸려 나가면서 해야 하는 여러 가지 일. 빨래, 밥하기, 청소 따위를 이름.

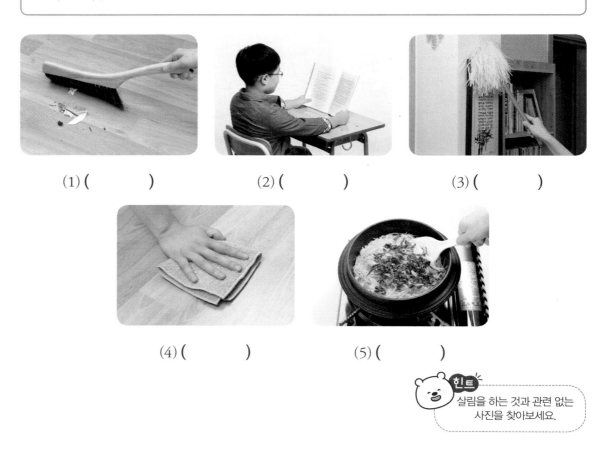

(1) (   )　　　　(2) (   )　　　　(3) (   )

(4) (   )　　　　(5) (   )

> 힌트
> 살림을 하는 것과 관련 없는 사진을 찾아보세요.

2 다음 낱말을 각 문장에 넣어 쓰며 쓰임을 익혀 보세요.

차별

(1)

남	녀	를	∨			하	지	∨	말	자	.

(2)

신	분	에	∨	따	라	∨			했	다	.

◉ 표현에 담긴 생각을 알아보았으니 이번에는 직업에 대한 생각을 알아볼까요? 다음 인터뷰를 보고, 바른 생각을 말한 친구를 찾아 ○표를 하세요.

나도 간호사가 되어서 아픈 사람을 돕고 싶어.

정우

아니야. 간호사는 여자 직업이야. 남자는 간호사가 될 수 없다고.

연아

「아빠가 집안일을 돕는다고?」의 내용을 떠올리며 우리 사회에서 **남자와 여자의 직업**에 대한 **잘못된 생각**을 알아봅니다.

공원 이용 안내

공부한 날   월   일

글에서 설명하는 주의할 점을 알아보자!

「공원 이용 안내」를 읽으며 공원을 이용할 때 주의할 점을 알아봐요.

글에 나타나 있는 그림과 내용을 잘 살펴보며 읽으면

주의할 점을 잘 알 수 있어요.

● 오늘 공부할 글의 그림을 미리 보고, 빈칸에 알맞은 낱말을 **보기** 에서 각각 찾아 쓰세요.

보기

반려동물　　　연체동물　　　수목　　　불법

❶

사람이 정서적으로 의지하고자 가까이 두고
기르는 동물. 개, 고양이, 새 따위가 있음.
　㉠ 공원에서는 ○○○○의 목줄을 꼭 붙잡고
다녀야 한다.

❷

살아 있는 나무.
　㉠ 공원에 있는 ○○을 아껴야 한다.

❸

법에 어긋남.
　㉠ 공원에 ○○ 주차를 하면 안 된다.

공원에 대해
알아보기

스스로 독해

공원을 이용할 때 주의할 점은 무엇인가요? 점선 부분을 따라 선을 그으며 읽어 보세요.

공원 이용 안내

이 공원은 모든 시민이 이용하는 여러분의▽귀중한 휴식 공간으로 공원 이용 시 주의할 점을 안내하오니 잘 지켜 주시기 바랍니다.

반려동물▽배설물은▽수거하고 목줄은 꼭 붙잡고 다니세요.

▽수목이나 공원 시설은 내 것처럼 아껴 주세요.

담배를 피우지 마세요.

물건을 팔지 마세요.

불을 피우면 안 돼요.

쓰레기는 다시 가져가세요.

▽불법 주차를 하지 마세요.

▽차량은 차도 이외에서는 타지 마세요.

어휘 풀이

▽**귀중**|귀할 귀 貴, 무거울 중 重|**한**   소중하고 중요한. 예 귀중한 책을 선물받았다.

▽**배설물**|물리칠 배 排, 샐 설 泄, 만물 물 物| 똥, 오줌, 땀 따위. 예 코끼리 배설물을 치우는 일을 하였다.

▽**수거**|거둘 수 收, 갈 거 去| 거두어 감. 예 쓰레기를 수거하였다.

▽**수목**|나무 수 樹, 나무 목 木| 살아 있는 나무. 예 수목이 우거진 깊은 숲에 들어갔다.

▽**불법**|아닐 불 不, 법 법 法| 법에 어긋남. 예 불법을 저지른 사람이 경찰서에 끌려갔다.

▽**차량**|수레 차 車, 수레 량 輛| 도로나 선로 위를 달리는 모든 차를 이르는 말. 예 차량 출입 금지

1 이 공원은 어떤 곳이라고 하였나요? (   )

이해

① 공사를 하는 곳이다.

② 귀중한 휴식 공간이다.

③ 사람이 오지 않는 곳이다.

④ 동물들은 들어올 수 없는 곳이다.

⑤ 돈을 내고 이용해야 하는 곳이다.

힌트 우리가 언제 공원을 이용하는지 생각해 봐요.

서술형

2 이 글에서 안내하는 것은 무엇인지 쓰세요.

이해

> 공원 이용 시 _____ 을 안내하였다.

3 다음 그림이 나타내는 것은 무엇일지 ◯표를 하세요.

유추

(1) 공놀이를 하는 모습 (   )

(2) 쓰레기를 다시 가져가는 모습 (   )

(3) 남자와 여자가 춤을 추는 모습 (   )

스스로 독해 해결!

4 공원을 이용할 때에 주의할 점을 정리하여 빈칸에 알맞은 말을 각각 쓰세요.

요약

> • 반려동물: 배설물 수거, ❶   은 꼭 붙잡고 다니기
>
> • 수목이나 공원 시설: 내 것처럼 아끼기
>
> • 하면 안 되는 것: 담배 피우기, 물건 팔기, ❷   피우기, 불법 주차
>
> • 쓰레기 처리: 다시 가져가기
>
> • 차량 이용: 차   도 에서만 타기

1 다음 밑줄 그은 '귀중한'과 뜻이 비슷한 낱말이 있는 비눗방울을 찾아 색칠하세요.

이 공원은 모든 시민이 이용하는 여러분의 <u>귀중한</u> 휴식 공간입니다.

소개한

소중한

소복한

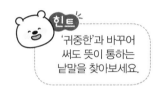

힌트

'귀중한'과 바꾸어
써도 뜻이 통하는
낱말을 찾아보세요.

2 다음 낱말에 포함되는 낱말을 모두 골라 ○표를 하세요.

반려동물 사람이 정서적으로 의지하고자 가까이 두고 기르는 동물.

사과

고양이

꽃

(1) (   )

(2) (   )

(3) (   )

강아지

물고기

햄스터

(4) (   )

(5) (   )

(6) (   )

● 다음 그림에서 공원을 바르게 이용하고 있는 사람을 모두 찾아 ○표를 하세요. 그리고 그 사람들이 떠올린 음식이 나타내는 낱말을 표에 먼저 나온 차례대로 빈칸에 쓰세요.

사람들이 떠올린 음식							
나타내는 낱말	학원	공원	보호	놀이	학교	개발	병원

(1)   을/를 (2)   해요!

「공원 이용 안내」의 내용을 떠올리며 **공원을 바르게 이용하고 있는 사람**을 모두 찾아봅니다. 그리고 **그림이 뜻하는 낱말을 맞추어** 문제를 풀어 봅니다.

[1~3] 다음 글을 읽고, 물음에 답하세요.

임금님은 새 옷을 자랑하러 밖으로 나갔어요. 바보의 눈에는 보이지 않는다는 임금님의 새 옷을 보려고 사람들이 몰려들었어요.

"정말 훌륭한 옷이야."

다들 바보 소리를 듣고 싶지 않아서 이렇게 말했어요. 그런데 한 아이가 소리를 쳤어요.

"임금님이 벌거벗었네?"

사람들은 그 소리를 듣고 모두 함께 크게 웃으며 말했어요.

"그래, 벌거벗었어. 하하하, ㉠벌거숭이 임금님이야."

1 임금님의 새 옷은 누구의 눈에 보이지 않는다고 했나요? (   )

① 바보
② 하인
③ 사기꾼
④ 어린아이
⑤ 똑똑한 사람

2 ㉠의 뜻으로 알맞은 것의 숫자를 쓰세요.

① 옷을 다 벗은 알몸뚱이.
② 어리석고 멍청하거나 못난 사람.

(   )

3 이 글에서 임금님의 마음은 어떻게 바뀌었을지 골라 ○표를 하세요.

(1) 무섭다. → 즐겁다.   (   )
(2) 자랑스럽다. → 부끄럽다.   (   )

[4~5] 다음 글을 읽고, 물음에 답하세요.

은행에 돈을 맡기는 것을 '예금'이라고 해요. 은행에 예금을 하면 이자가 붙어요. 이자는 돈을 맡겨 놓아서 받는 돈이에요. 은행은 사람들이 맡긴 돈을 사람이나 회사에 빌려주는 등의 일을 하면서 돈을 벌어요. 그리고 그렇게 벌어들인 돈의 일부를 맡긴 사람들에게 이자로 되돌려 주는 거예요. 사람들은 은행에 돈을 안전하게 맡기면서 이자까지 받을 수 있어서 좋고, 은행은 사람들이 맡긴 돈으로 돈을 벌 수 있으니 서로에게 도움이 된답니다.

4 다음 그림을 보고, 이 글이 무엇에 대해서 설명하는 글인지 빈칸에 알맞은 말을 쓰세요.

[   ]에서 하는 일

5 위 **4**번에서 답한 곳에 돈을 맡기면 어떤 점이 좋은지 두 가지를 고르세요. (   )

① 돈을 안전하게 맡길 수 있다.
② 어려운 사람을 도울 수 있다.
③ 돈을 찾으러 가지 않아도 된다.
④ 돈을 깨끗하게 사용할 수 있다.
⑤ 예금한 돈에 이자까지 받을 수 있다.

▶정답 및 해설 18쪽

6 다음 글에서 보기 의 뜻을 지닌 낱말을 찾아 밑줄을 그으세요.

> **보기**
> 조그마한 아이나 동물 따위가 한꺼번에 바쁘게 뛰어나가거나 움직이는 모양.

> 생쥐 다섯이 오르르 몰려왔어요.
> "얼레? 모두 똑같구나!"

[7~8] 다음 글을 읽고, 물음에 답하세요.

> 보통 우리는 아빠가 집안일을 할 때 ㉠'아빠가 집안일을 돕는다.'라고 말해요. 하지만 엄마가 집안일을 할 때는 '엄마가 집안일을 돕는다.'라고 하지 않아요. '돕다'는 '남이 하는 일이 잘되도록 힘을 보태다.'라는 뜻이에요. 우리는 깊게 생각하지 않고 집안일은 아빠의 일이 아니라고 생각하기 때문에 아빠가 집안일을 '돕는다.'고 말하는 것이지요.

7 ㉠과 같이 말하는 까닭은 무엇이라고 하였는지 빈칸에 들어갈 말을 찾아 쓰세요.

- 집안일은 ⬚⬚⬚ 의 일이 아니라고 생각하기 때문에

8 다음 중 이 글을 쓴 사람과 생각이 비슷한 사람의 이름을 쓰세요.

> 민준: 집안일은 하지 않아도 돼.
> 건우: 집안일은 엄마만 해야 돼.
> 서윤: 집안일은 모두 함께 해야 돼.

( )

[9~10] 다음 글을 읽고, 물음에 답하세요.

9 이 안내문에서 알려 주는 내용은 무엇인가요? ( )

① 공원의 크기
② 공원의 위치
③ 공원에 가는 사람
④ 공원에 있는 시설물
⑤ 공원을 이용할 때 주의할 점

10 ㉠에 들어갈 그림으로 알맞은 것을 골라 ◯표를 하세요.

(1)

( )

(2)

( )

창의

1 다음 만화를 읽고, 2주차에서 배운 낱말을 떠올려 어휘 퀴즈에 알맞은 낱말을 빈칸에 각각 쓰세요.

2주
특강

어휘 퀴즈

❶ '물건을 맡아서 간직하고 관리함.'을 뜻하는 말은? →

❷ '둘 이상의 대상을 각각 등급이나 수준 따위의 차이를 두어서 구별함.'을 뜻하는 말은?

→

❸ '오늘은 쓰레기를 ○○해 가는 날이다.'의 빈칸에 들어갈 알맞은 말은? →

코딩 2 아이가 용돈을 예금하기 위해 은행에 찾아가려고 해요. 아이가 길을 따라 무사히 은행에 도착할 수 있도록 빈칸에 화살표를 그려 넣으세요.

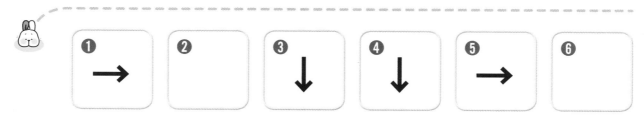

▶ 정답 및 해설 19쪽

융합

3 세 아이가 공원에 버려진 쓰레기를 분리수거 하려고 각각 캔, 종이, 페트병을 주우려고 해요.
세 아이가 종류별로 각각 몇 개의 쓰레기를 주워야 하는지 빈칸에 숫자를 쓰세요.

아람이는 캔을 ☐ 개 주워야 하고, 윤호는 종이컵을 ☐ 개 주워야 해요. 그리고 지

아는 페트병을 ☐ 개 주워야 해요.

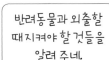

4 안내판을 보고 알맞은 말에 ◯표를 하세요.

생활 어휘

반려동물과 외출할 때 지켜야 할 것들을 알려 주네.

반려동물 동반 에티켓

■ 반려동물과 동반할 때 지켜야 할 일

반려동물 목줄을 착용하여야 합니다.

반려동물 배변용 위생 봉투를 지참합니다.

반려동물의 배변은 깨끗이 치워야 합니다.

맹견은 입 가리개를 씌웁니다. (도사견, 아메리칸 핏불테리어 등)

다른 사람에게 피해를 주지 않으려면 어떻게 해야 하는지 알아보자!

얘들아! 반려동물 동반 에티켓은 반려동물과 (1)(함께 , 따로) 다닐 때 지켜야 할 마음가짐과 몸가짐을 말해. 반려동물을 데리고 다닐 때에는 (2)(목줄 , 리본)을 매야 해. 그리고 위생 봉투를 챙겨 가. 반려동물이 똥을 누면 봉투에 챙겨야 해. 혹시 (3)(순한 , 사나운) 개라면 입을 막는 입 가리개도 해야 한다고.

어휘 풀이

▼**동반**|같을 동 同, 짝 반 伴|　일을 하거나 길을 가는 따위의 행동을 할 때 함께 짝을 함. 또는 그 짝.
　　예 부모님께서 부부 동반 모임에 가셨다.

▼**에티켓**　사람들이 사귀고 함께 살아가면서 지켜야 할 마음가짐이나 몸가짐. 예절.

▼**착용**|붙을 착 着, 쓸 용 用|　무엇을 입거나, 쓰거나, 신거나 차거나 함. 예 목걸이를 착용하다.

▼**지참**|가질 지 持, 참여할 참 參|　무엇을 가지고서 모임 따위에 참여함. 예 도시락을 지참하다.

창의
5
생활 한자

利(이로울 리(이)) 자에 대해 알아보고, 다음 물음에 답하세요.

利 자는 벼와 칼을 함께 그려 날카롭다는 뜻과 이롭다는 뜻을 표현한 글자예요.

이로울 **리(이)**

(1) 利 자가 들어간 낱말을 알아보고, 한자의 음을 쓰세요.

① 장사꾼은 장사를 잘해서 利益을 남겼다.

→ 익

힌트
62쪽에서 공부한 '이자'에 쓰인 利(이로울 리(이)) 자에 대해 알아봐요.
이로울 '리(利)' 자가 낱말의 맨 앞에 올 때에는 '이'라고 읽어요.

② 휴대 전화가 생겨서 생활이 便利해졌다.

→ 편

(2) 한자 성어의 뜻을 알아보고, 빈칸에 알맞은 한자를 쓰세요.

漁 夫 之 利
고기 잡을 **어**　남편 **부**　갈 **지**　이로울 **리**

두 사람이 서로 싸우는 사이에 엉뚱한 사람이 애쓰지 않고 가로챈 이익을 이르는 말.

· 1등과 2등이 다투는 동안 3등이 漁 夫 之 □ (어부지리)로 우승하였다.

1-1 다음 뜻에 알맞은 낱말을 골라 ○표를 하세요.

> 동물이나 사람의 모습을 한 귀신의 하나. 뛰어난 힘과 재주를 가지고 있어 사람들에게 짓궂은 장난이나 심술궂은 짓을 많이 한다고 함.

먼저 (머슴 , 도깨비)이/가 수수께끼를 냈어요.
"저기 흐르는 강물이 몇 바가지나 되게?"

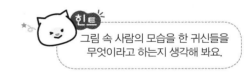

힌트
그림 속 사람의 모습을 한 귀신들을 무엇이라고 하는지 생각해 봐요.

1-2 다음 대화를 읽고, 사람들이 이야기하는 것이 무엇일지 골라 따라 쓰세요.

도 깨 비   호 랑 이

▶ 정답 및 해설 20쪽

2-1 밑줄 그은 낱말의 뜻으로 알맞은 것을 골라 ◯표를 하세요.

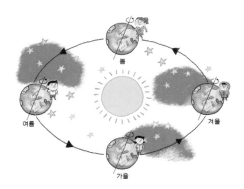

따뜻한 봄과 땀이 뻘뻘 나는 더운 여름, 시원한 바람이 부는 가을과 물이 꽁꽁 어는 추운 겨울! 이렇게 <u>계절</u>이 변하는 이유는 무엇일까요?

(1) 흘러가는 시간. ( )

(2) 규칙적으로 되풀이되는 자연 현상에 따라서 일 년을 봄, 여름, 가을, 겨울 또는 건기와 우기 등으로 나누는 것. ( )

2-2 다음 빈칸에 공통으로 들어갈 낱말을 골라 ◯표를 하세요.

• 가을은 독서의 　　　 이다.

• 　　　 이 바뀌면 사람들은 옷을 갈아입는다.

힌트
봄·여름·가을·겨울로 바뀌는 것을 무엇이 변한다고 하는지 떠올려 봐요.

| 기온 | 계절 | 시간 | 환경 |

머슴과 도깨비

수수께끼 놀이를 알아보자!

어떤 사물에 대해 빗대어 묻고 알아맞히는 놀이를
수수께끼 놀이라고 해요. 수수께끼 놀이를 하는 방법을 생각하며
「머슴과 도깨비」를 읽어 봐요.

● 오늘 공부할 글과 그림을 미리 보고, 알맞은 낱말을 각각 찾아 표시하세요.

도깨비들은 한참을 저희끼리 쑥덕대다가 마침내 한 도깨비가 앞으로 썩 나서며 머슴에게 말했어요.

"우리가 졌다. 다시는 네 논에 오지 않겠다."

1 '옛날에 농사짓는 집에서 돈을 받고 그 집의 농사일과 집안일을 봐주는 일을 하던 남자.'라는 뜻의 낱말을 찾아 ◯표를 하세요.

2 '물을 대어 주로 벼를 심어 가꾸는 땅.'이라는 뜻의 낱말을 찾아 △표를 하세요.

수수께끼에 대해
자세히 알아보기

머슴과 도깨비

스스로 독해

머슴과 도깨비가 한데 모여 무엇을 하고 있나요? ◯ 속 낱말에 색칠하며 답을 알아봐요.

먼저 도깨비가 수수께끼를 냈어요.

"저기 흐르는 강물이 몇 바가지나 되게?"

"저 강물만 한 ㉠바가지로 한 바가지다!"

머슴은 도깨비들이 낸 수수께끼를 간단하게 풀었어요. 이제 머슴이 수수께끼를 낼 차례였어요. 머슴은 우렁찬 목소리로 외쳤어요.

"내가 지금 누우려고 하게, 서 있으려고 하게?"

도깨비들은 머슴이 낸 수수께끼에 아무 대답을 할 수 없었어요. 누우려고 한다면 서 있을 것이고, 서 있으려고 한다면 누울 게 뻔했거든요. 도깨비들은 한참을 저희끼리 쑥덕대다가 마침내 한 도깨비가 앞으로 썩 나서며 머슴에게 말했어요.

"우리가 졌다. 다시는 네 논에 오지 않겠다."

어휘 풀이

▼**도깨비** 동물이나 사람의 모습을 한 귀신의 하나. 뛰어난 힘과 재주를 가지고 있어 사람들에게 짓궂은 장난이나 심술궂은 짓을 많이 한다고 함. 예 옛이야기에는 도깨비가 자주 나온다.

▼**바가지** 박을 두 쪽으로 쪼개거나 또는 나무나 플라스틱으로 그와 비슷하게 만들어 물을 푸거나 물건을 담는 데 쓰는 그릇. 예 바가지에 물을 담아 텃밭에 물을 주었다.

▼**머슴** 옛날에 농사짓는 집에서 돈을 받고 그 집의 농사일과 집안일을 봐주는 일을 하던 남자. 예 양반 집 머슴이 마당을 쓸고 있었다.

▼**쑥덕대다가** 남이 알아듣지 못하도록 낮은 목소리로 이야기하다가. 예 아이들이 쑥덕대다가 갑자기 멈추었다.

▼**논** 물을 대어 주로 벼를 심어 가꾸는 땅.

▲ 논

1
이해

스스로 독해 해결!

머슴과 도깨비는 무슨 내기를 하였나요? (   )

① 씨름　　　　　　② 윷놀이　　　　　　③ 달리기

④ 수수께끼　　　　⑤ 가위바위보

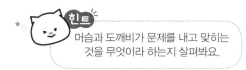

힌트
머슴과 도깨비가 문제를 내고 맞히는
것을 무엇이라 하는지 살펴봐요.

2
어휘

㉠의 사진으로 알맞은 것은 무엇인가요? (   )

① 　②　③ 　④

3주
1일

3
이해

서술형

도깨비들이 머슴이 낸 수수께끼에 아무 대답도 할 수 없었던 까닭을 쓰세요.

누우려고 한다면 _____이고, 서 있으려고 한다
면 누울 게 뻔했기 때문이다.

힌트
머슴은 아무도 맞힐 수 없는
수수께끼를 냈어요.

4
요약

스스로 독해 해결!

이 글에서 무슨 일이 있었는지 정리하여 빈칸에 알맞은 말을 각각 쓰세요.

머슴과 ❶ _____ 가 수수께끼 내기를 하였는데, ❷ _____ 이
내기에서 이겼어요. 도깨비들은 다시는 머슴의 논 에 오지 않기로 약속하
였어요.

▶ 정답 및 해설 20쪽

1 다음 문장의 밑줄 그은 낱말을 맞춤법에 맞게 고쳐 쓰세요.

(1) 도깨비들은 한참을 저희끼리 <u>쑥떡댔어요</u>.

☐☐댔어요: 남이 알아듣지 못하도록 낮은 목소리로 이야기했어요.

(2) 우리가 <u>졌다</u>. 다시는 네 논에 오지 않겠다.

☐다: 내기나 시합, 싸움 따위에서 재주나 힘을 겨루어 상대에게 꺾였다.

2 다음 동작을 나타내는 낱말과 그림을 각각 선으로 이으세요.

(1) 서다 •

(2) 눕다 •

(3) 앉다 •

• ①

• ②

• ③

힌트

잘 때는 침대에 눕고, 공부할 때는 의자에 앉고, 집에 갈 때는 서서 걸어요.

◉ 우리나라 도깨비와 일본 도깨비를 비교해 보고, 표에서 알맞은 말을 각각 골라 ○표를 하세요.

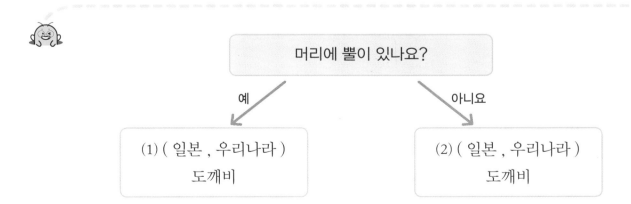

머리에 뿔이 있나요?

예   아니요

(1) (일본 , 우리나라) 도깨비   (2) (일본 , 우리나라) 도깨비

 「머슴과 도깨비」에 등장하는 도깨비의 모습을 잘 살펴보고 **우리나라 도깨비와 일본 도깨비를 구분**해 봅니다.

계절은 왜 생길까요?

공부한 날   월   일

원인과 결과를 알아보며 글을 읽어 보자!

무엇 때문에 계절이 생기는지 알아보며
「계절은 왜 생길까요?」를 읽어 봐요.
일이 일어난 원인과 그로 인한 결과를 찾아 정리하면
계절이 생기는 까닭을 알 수 있어요.

● 오늘 공부할 글의 그림을 미리 보고, 빈칸에 알맞은 낱말을 각각 찾아 쓰세요.

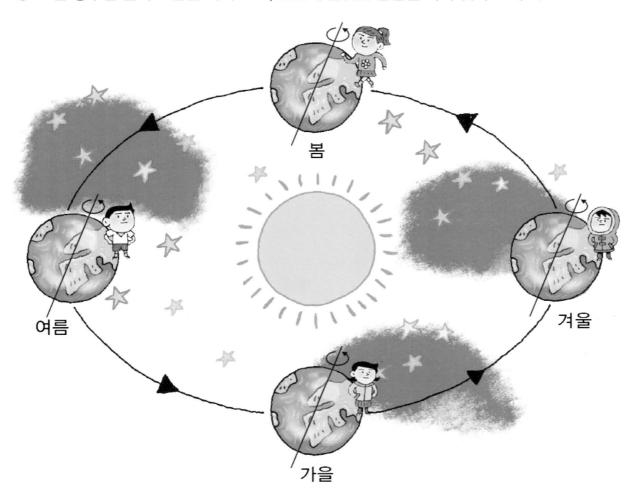

바퀴   가을   기울어져   빨리빨리

지구는 태양 주위를 일 년에 한 **❶**〔   〕〔   〕 도는데, 이때 지구가 약간

┗→ 어떤 둘레를 빙 돌아서 제자리까지 돌아오는 횟수를 세는 단위.

❷〔   〕〔   〕〔   〕〔   〕 돌기 때문에 계절이 생긴다고 해요. 지구가 태양 주위

┗→ 비스듬하게 한쪽이 낮아지거나 비뚤어지게 되어.

를 기울어져 돈다는 사실과 계절이 생기는 까닭은 어떤 관계가 있을까요?

계절에 대해
자세히 알아보기

계절은 왜 생길까요?

스스로 독해

계절은 왜 생기는 걸까요? 점선 부분을 따라 선을 그으며 읽고 그 까닭을 알아봐요.

　따뜻한 봄과 땀이 삘삘 나는 더운 여름, 시원한 바람이 부는 가을과 물이 꽁꽁 어는 추운 겨울! 이렇게 계절이 변하는 이유는 무엇일까요?

　우리가 사는 지구는 ⊙태양 주위를 빙글빙글 돕니다. 지구가 태양 주위를 한 바퀴 도는 데 일 년이 걸리지요. 그런데 지구가 약간 기울어져 돌기 때문에 햇빛을 많이 받는 위치에 있을 때에는 여름이 되고, 햇빛을 적게 받는 위치에 있을 때에는 겨울이 되는 거지요. 따라서 우리나라는 지구가 태양 주위를 한 바퀴 도는 동안 봄, 여름, 가을, 겨울을 거치게 되는 것이랍니다.

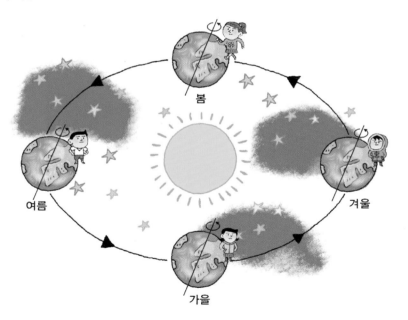

봄

겨울

여름

가을

어휘 풀이

▼ **계절** | 계절 계 季, 마디 절 節 | 　규칙적으로 되풀이되는 자연 현상에 따라서 일년을 봄, 여름, 가을, 겨울 또는 건기와 우기 등으로 나누는 것. 예 봄은 내가 가장 좋아하는 계절이다.

▼ **바퀴** 　어떤 둘레를 빙 돌아서 제자리까지 돌아오는 횟수를 세는 말. 예 운동장을 두 바퀴 뛰었다.

▼ **기울어져** 　비스듬하게 한쪽이 낮아지거나 비뚤어지게 되어.
　　예 피사의 사탑은 시간이 지날수록 점점 기울어져 지금의 모습이 되었다.

▼ **거치게** 　어떤 과정이나 단계를 겪거나 밟게. 예 애벌레는 나비가 되기 위해 번데기 상태를 거치게 된다.

1
어휘

㉠'태양'과 바꾸어 쓸 수 있는 낱말은 무엇인가요? (   )

① 달   ② 비   ③ 해
④ 구름   ⑤ 바람

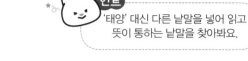

힌트
'태양' 대신 다른 낱말을 넣어 읽고 뜻이 통하는 낱말을 찾아봐요.

2
이해

이 글의 내용으로 알맞지 <u>않은</u> 것은 무엇인가요? (   )

① 지구는 약간 기울어져 태양 주위를 돈다.
② 햇빛을 많이 받는 위치에 있을 때 여름이 된다.
③ 햇빛을 적게 받는 위치에 있을 때 겨울이 된다.
④ 지구가 태양 주위를 한 바퀴 도는 데 일 년이 걸린다.
⑤ 우리나라는 지구가 태양 주위를 한 바퀴 도는 동안 여름과 겨울만 거친다.

3주
2일

3
이해

서술형

계절이 생기는 이유는 무엇인지 쓰세요.

지구가 태양 주위를 돌 때 _____

_____ 때문이다.

4
요약

스스로 독해 해결!

이 글의 중요한 내용을 정리하여 빈칸에 알맞은 말을 각각 쓰세요.

원인	❶ 가 태양 주위를 돌 때 약간 기울어져 돈다.

↓

결과	햇빛을 많이 받는 위치에 있을 때 여름이 되고, 햇빛을 적게 받는 위치에 있을 때 겨울이 되는 등 ❷ 이 생긴다.

1 다음 보기 를 잘 보고 빈칸에 알맞은 낱말을 쓰세요.

> 보기
>
> 코 + 등 ➡ 콧등   해 + 빛 ➡ 햇빛

(1) 나무 + 잎 ➡ [　　　　]   (2) 아래 + 입술 ➡ [　　　　]

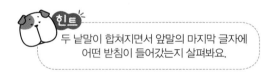
힌트
두 낱말이 합쳐지면서 앞말의 마지막 글자에 어떤 받침이 들어갔는지 살펴봐요.

2 다음 밑줄 그은 낱말과 뜻이 반대인 낱말을 각각 선으로 이으세요.

(1) 사람이 많다. •

     • ①
춥다

(2) 날씨가 덥다. •

     • ②
녹다

(3) 물이 얼다. •

     • ③
적다

● 여름 모습이 나타난 그림 퍼즐 맞추기 놀이를 하고 있어요. 다음 빈칸에 그림 **㉮~㉰** 중 알맞은 기호를 넣어 계절에 맞는 그림 퍼즐을 완성하세요.

> (1) 그림 ☐ 를 그림판의 ①에 놓아요.
>
> (2) 그림 ☐ 를 그림판의 ②에 놓아요.

3주

2일

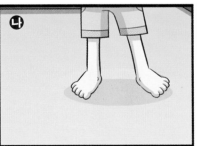

「계절은 왜 생길까요?」를 읽고 우리나라의 계절을 떠올리며 퍼즐을 맞추고, **여름에 대하여** 더 알아봅니다.

소

흉내 내는 말을 알아보자!

흉내 내는 말에 주의하며 동시 「소」를 읽어 봐요.

흉내 내는 말은 사람이나 사물의 소리나 모습을 나타내는 말이에요.

소의 움직임을 흉내 내는 말을 살펴보고

소의 모습을 상상하며 시를 읽어 봐요.

◎ 오늘 공부할 글의 그림을 미리 보고, 빈칸에 알맞은 낱말을 각각 찾아 쓰세요.

느릿느릿　　　개굴개굴　　　쏟아져도

소는 배가 고플 때에도 ❶ [　][　][　][　] 먹어요.
　　　　　　　　　　↳ 움직임이 매우 느린 모양.

소는 비가 ❷ [　][　][　][　] 느릿느릿 걸어요.
　　　　　↳ 비나 눈, 햇빛 등이 많이 또는 강하게 내리거나 비쳐도.

기쁜 일이나 슬픈 일이 있을 때에 소는 어떻게 할까요?

소에 대해
자세히 알아보기

소

윤석중

스스로 독해

시에 쓰인 흉내 내는
말은 무엇일까요?
◯ 속 흉내 내는 말
에 색칠하며 시를 읽
어 보아요.

아무리 배가 고파도
느릿느릿 먹는 소.

비가 쏟아질 때도
느릿느릿 걷는 소.

기쁜 일이 있어도
한참 있다 웃는 소.

슬픈 일이 있어도
한참 있다 우는 소.

어휘 풀이

▾ **느릿느릿**   움직임이 매우 느린 모양. ㉠ 차가 느릿느릿 가고 있다.

▾ **쏟아질**   비나 눈, 햇빛 등이 많이 또는 강하게 내리거나 비칠. ㉠ 눈이 펑펑 쏟아질 때에는 조심하렴.

▾ **한참**   오랜 시간. 또는 시간이 꽤 지나는 동안. ㉠ 친구를 한참 동안 기다렸다.

1
표현

소의 움직임을 흉내 내는 말을 시에서 찾아 쓰세요.

힌트
이 말은 소가 어떻게 움직이는지
알 수 있는 말이에요.

2
이해

이 시에 나타난 소의 특징으로 알맞은 것은 무엇인가요? (   )

① 조그맣다.

② 부지런하다.

③ 일을 잘한다.

④ 머리가 좋다.

⑤ 움직임이 느리다.

힌트
글쓴이는 소가 어떤 동물이라고
하였는지 살펴봐요.

3
이해

서술형

기쁜 일이 있을 때 소는 어떻게 한다고 하였는지 쓰세요.

_____ 웃는다.

4
요약

이 시의 내용을 정리하여 빈칸에 알맞은 말을 각각 쓰세요.

❶   는 ❷   먹고, 느릿느릿 걷고, 기쁜 일이나 슬픈
일이 있어도 한참 있다 웃거나 운다.

3주
3일

1 '슬프다'와 뜻이 비슷한 낱말을 보기 에서 하나만 골라 쓰세요.

> 보기
>
> 여유롭다   서글프다   유쾌하다

(   )

힌트
뜻이 비슷한 낱말은 서로 바꾸어
써도 뜻이 통해요.

2 보기 와 같이 문장의 빈칸에 들어갈 흉내 내는 말로 알맞은 것을 각각 찾아 선으로 이으세요.

> 보기
>
> 소는 비가 쏟아질 때에도 느릿느릿 걷는다.

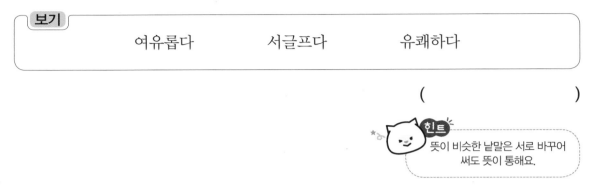

(1) 도둑이 담을 넘어 집 안으로 들어왔다.   ·

· ① 살랑살랑

(2) 아버지께서 코를 골며 낮잠을 주무신다.   ·

· ② 살금살금

(3) 우리 집 바둑이는 나만 보면 꼬리를 흔든다.   ·

· ③ 드르렁드르렁

● 풀밭에 글자 카드가 떨어져 있어요. 출발 칸의 소를 움직여 낱말 '송아지'에 필요한 글자 카드를 모두 주울 수 있도록 빈칸 ❶과 ❷에 알맞은 방향의 화살표를 그려 보세요.

 동시 「소」를 읽고 자신이 그린 화살표대로 **느릿느릿 움직이는 소를 상상**하며, 소를 움직여 **'송아지' 글자**를 모아 봅니다.

단군은 정말 곰의 아들이었을까?

공부한 날   월   일

단군 이야기에 담긴 진짜 뜻을 이해하자!

단군 이야기는 우리나라에 처음 세워진 나라인 고조선이
어떻게 세워졌는지를 담은 이야기예요.
단군 이야기에 숨겨진 뜻을 설명하는 「단군은 정말 곰의 아들이었을까?」를
읽으며 그 안에 담긴 진짜 뜻이 무엇인지 이해해 봐요.

◉ 오늘 공부할 글의 그림을 미리 보고, 빈칸에 알맞은 낱말을 각각 찾아 쓰세요.

| 귀신 | 부족 | 고조선 | 백두산 |

우리나라 최초의 국가인 ❶ ☐☐☐ 을 세운 단군의 이야기를 읽어 보

↳ 우리나라에 처음 세워진 나라. 기원전 2333년 무렵에 단군왕검이 세운 나라임.

았나요? 단군은 정말 사람으로 변한 곰의 아들일까요? 아니면 곰과 관련된

❷ ☐☐ 의 이야기일까요?

↳ 같은 조상, 언어, 종교 등을 가지고 한 사회를 이루는 지역적 생활 공동체.

단군에 대해
자세히 알아보기

단군은 정말 곰의 아들이었을까?

스스로 독해

단군 이야기에 숨겨진 진짜 뜻은 무엇일까요? 글의 점선 부분을 따라 선을 그으며 읽어 보고 답을 생각해 보세요.

　　하늘 나라 ㉠임금의 아들인 환웅이 태백산으로 내려왔다. 그리고 환웅은 백일 동안 쑥과 마늘을 먹고 여자로 변한 곰과 결혼해서 아들을 낳았다. 그 아들이 바로 우리나라 최초의 국가인 고조선을 세운 단군이다.

　　이 이야기가 바로 단군 이야기야. 그런데 정말 곰이 여자로 변해서 단군을 낳은 것일까? 환웅이 하늘 나라에서 내려왔다는 것은 환웅의 무리가 태백산에 터를 잡고 있던 무리보다 훨씬 큰 힘을 가지고 있었다는 것을 뜻해. 단군이 환웅과 곰 사이에서 태어났다는 것 역시 단군이 환웅의 무리와 곰을 섬기는 부족 사이에서 태어난 인물이라는 뜻이지.

어휘 풀이

▼**고조선**|옛 고 古, 아침 조 朝, 고울 선 鮮|　우리나라에 처음 세워진 나라. 기원전 2333년 무렵에 단군왕검이 세운 나라임. ⓔ 북한에서 고조선의 유물이 발견되었다.

▼**터**　집이나 건물을 지었거나 지을 자리. ⓔ 이곳은 예전에 궁궐이 있던 터이다.

▼**섬기는**　신이나 윗사람을 잘 모시어 받드는. ⓔ 이황은 왕을 섬기는 신하였다.

▼**부족**|나눌 부 部, 겨레 족 族|　같은 조상, 언어, 종교 등을 가지고 한 사회를 이루는 지역적 생활 공동체. ⓔ 국가가 생겨나기 이전에 사람들은 부족 단위로 모여 살았다.

1 ㉠과 바꾸어 쓸 수 있는 말은 무엇인가요? (　　　)

어휘

① 왕　　　　　　② 왕자　　　　　　③ 왕비
④ 귀족　　　　　⑤ 신하

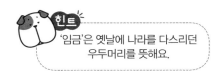

힌트
'임금'은 옛날에 나라를 다스리던 우두머리를 뜻해요.

2 서술형

이해 단군이 한 일은 무엇인지 쓰세요.

우리나라 최초의 국가인 ＿＿＿＿＿＿＿＿＿＿＿＿＿＿＿＿

3주
4일

3 단군 이야기에 숨겨진 진짜 뜻을 골라 ○표를 하세요.

유추

(1) 단군은 하늘 나라에서 내려온 환웅과 여자로 변한 곰 사이에서 태어난 아들이다.　　　　　　　　　　　　　(　　　)

(2) 단군은 큰 힘을 가지고 있었던 환웅의 무리와 곰을 섬기는 부족 사이에서 태어난 아들이다.　　　　　　　　　(　　　)

4 스스로 독해 해결!

요약 이 글의 중요한 내용을 정리하여 빈칸에 쓰세요.

단군 이야기	숨겨진 뜻
하늘 나라에서 내려온 환웅과 여자로 변한 곰 사이에서 태어난 ❶　　　이 고조선을 세웠다.	큰 힘을 가지고 있었던 환웅의 무리와 ❷　을 섬기는 부족 사이에서 태어난 단군이 고조선을 세웠다.

1 다음 낱말의 뜻을 보고, 문장에 알맞은 낱말을 각각 골라 쓰세요.

> 약을 먹고 병이 나았어.

> 우아, 닭이 알을 낳았어.

나았다 병이 고쳐지거나 상처가 아물었다.

낳았다 배 속의 아기, 새끼, 알을 몸 밖으로 내놓았다.

(1) 다쳤던 다리가 싹 ☐☐☐☐ .

(2) 우리 집 바둑이가 새끼를 ☐☐☐☐ .

힌트
'나았다'와 '낳았다'를 소리 내어 읽으면 똑같이 소리 나요. 말이 쓰인 상황이나 내용을 살펴 알맞은 말을 쓰도록 주의해요.

2 다음 빈칸에 공통으로 들어가기에 알맞은 낱말을 보기 에서 찾아 쓰세요.

보기
| 관계 | 사이 | 동안 |

> 우리는 친구 ☐☐☐ 예요.

> 어제 1시에서 2시 ☐☐☐ 에 어디 있었니?

> 집에서 밥을 먹고 있었어.

똑똑한
하루 독해 게임

재미있는 독해 게임으로 독해력 쑥쑥

▶ 정답 및 해설 23쪽

🔵 단군이 우리에게 하고 싶은 말은 무엇일까요? 다음 기호가 나타내는 글자가 무엇인지 알아보고, 암호를 풀어 빈칸에 알맞은 글자를 각각 쓰세요.

기호	♣	♥	◉	★	♠	◆	◈
나타내는 글자	게	이	인	단	군	롭	간

널리   을   하라.

「단군은 정말 곰의 아들이었을까?」의 내용을 떠올리며, **단군이 나라를 세운 뜻**은 무엇인지 더 알아봅니다.

'다문화 이해의 날' 행사 열려

공부한 날   월   일

학교 행사를 알리는 기사문을 읽어 보자!

기사문이란 알릴 만한 가치가 있는 사건이나 사실을
빠르고 정확하게 전달하기 위하여 쓴 글이에요.
누가, 언제, 어디에서, 무엇을, 어떻게, 왜 했는지 정리하며
「'다문화 이해의 날' 행사 열려」를 읽어 봐요.

● 오늘 공부할 글의 그림을 미리 보고, 빈칸에 알맞은 낱말을 보기 에서 각각 찾아 쓰세요.

보기

| 관광지 | 시청 | 다문화 | 의상 |

❶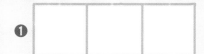

한 나라나 사회 안에 여러 민족의 문화가 섞여 있는 것을 이르는 말.

㉠ 학교에서 ○○○에 대한 올바른 이해를 돕기 위한 행사가 열렸다.

3주
5일

❷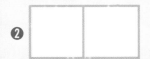

눈으로 보고 귀로 들음.

㉠ 교실에서 다문화 만화 영화 「빨간 자전거」를 ○○하는 시간을 가졌다.

❸

겉에 입는 옷.

㉠ 여러 나라의 전통 ○○을 입고 행진하는 행사를 진행했다.

다문화 사회에 대해
자세히 알아보기

스스로 독해

'다문화 이해의 날'은 어떤 행사인가요? 글의 점선 부분을 따라 선을 그으며 읽어 보고 답을 생각해 보세요.

천재초등학교 어린이 신문　　　　　　　　20○○년 ○○월 ○○일

'다문화 이해의 날' 행사 열려

　천재초등학교에서는 다문화에 대한 학생들의 올바른 이해를 돕기 위해 4월 15일을 '다문화 이해의 날'로 정하고 온종일 여러 가지 행사를 열었다.

　각 교실에서는 생활 속에서 마주칠 수 있는 여러 가지 사례가 담긴 다문화 만화 영화 「빨간 자전거」를 시청하는 시간을 가졌고, 운동장에서는 학생들이 여러 나라의 전통 의상을 입고 행진하는 행사를 진행했다.

　교장 선생님께서는 "이번 행사를 통해 천재초등학교 학생들이 다문화에 대해 바르게 이해하고 모든 사람이 소중하다는 것을 깨닫는 기회가 되기를 바랍니다."라고 말씀하셨다.

어휘 풀이

▼**다문화**|많을 다 多, 글월 문 文, 될 화 化| 한 나라나 사회 안에 여러 민족의 문화가 섞여 있는 것을 이르는 말. 예 시간이 지날수록 다문화 가정은 늘어날 것이다.

▼**온종일**|마칠 종 終, 날 일 日| 아침부터 저녁까지의 동안. 예 오늘은 온종일 비가 내렸다.

▼**사례**|일 사 事, 법식 례 例| 어떤 일이 전에 실제로 일어난 예.
　예 자세한 사례를 들어 설명하면 이해하기 쉽다.

▼**시청**|볼 시 視, 들을 청 聽| 눈으로 보고 귀로 들음.
　예 아버지께서 축구 경기를 시청하기 위해 일찍 집에 오셨다.

▼**의상**|옷 의 衣, 치마 상 裳| 겉에 입는 옷. 예 가족끼리 의상을 맞춰 입고 여행을 했다.

▼**행진**|다닐 행 行, 나아갈 진 進| 줄을 지어 앞으로 나아감. 예 음악대가 연주를 하며 거리를 행진하였다.

1

유추

이 글은 어디에 실려 있는지 알맞은 것에 ◯표를 하세요.

(1)

책

(2)

○○일보

신문

(3)

인터넷

2

이해

'다문화 이해의 날'에 진행된 행사로 알맞은 것을 두 가지 고르세요. (   )

① 자전거 타기
② 여러 나라의 인사말 배우기
③ 만화 영화 「빨간 자전거」 시청하기
④ 여러 나라의 전통 음식 만들어 보기
⑤ 여러 나라의 전통 의상 입고 행진하기

3주
5일

힌트
학생들이 무엇무엇을 하였는지
찾아보아요.

서술형

3

이해

'다문화 이해의 날' 행사를 연 까닭은 무엇인지 쓰세요.

다문화에 대한 학생들의ㅤ_____
돕기 위해서이다.

스스로 독해 **해결!**

4

요약

이 글의 내용을 정리하여 빈칸에 알맞은 말을 각각 쓰세요.

누가	천재초등학교
언제	4월 15일
어디에서	각 교실과 ❶ 
무엇을	'다문화 이해의 날' 행사
어떻게	만화 영화 「빨간 자전거」를 시청하고 여러 나라의 전통 의상을 입고 행진함.
왜	❷ㅤㅤㅤㅤㅤ에 대한 학생들의 올바른 이해를 돕기 위해

1 다음 문장의 빈칸에 들어갈 알맞은 낱말을 보기 에서 찾아 쓰세요.

> 보기
>
> **행사** 어떤 일을 실제로 함. 또는 그 일.
>
> **사례** 어떤 일이 전에 실제로 일어난 예.

• 준호는 ☐☐를 들어 알기 쉽게 발표하였다.

2 보기 는 밑줄 그은 낱말을 높임말로 고쳐 쓴 것입니다. 보기 처럼 밑줄 그은 낱말에 맞는 높임말을 각각 찾아 쓰세요.

> 보기
>
> 오늘은 아빠 생일이다.
>
> **생신**

말씀

댁

진지

(1) 선생님의 <u>말</u>을 들었다.

(2) 할머니께서 <u>밥</u>을 드신다.

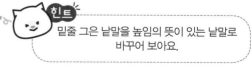

힌트
밑줄 그은 낱말을 높임의 뜻이 있는 낱말로
바꾸어 보아요.

◉ 각 나라의 전통 의상을 입고 행진을 하는 행사가 열렸어요. 그런데 사람들이 자기 자리를 못 찾고 있어요. 사람들의 의상을 보고 알맞은 자리에 기호를 써 주세요.

 「'다문화 이해의 날' 행사 열려」의 내용을 떠올리며, **각 나라의 전통 의상**도 알아봅니다.

[1~3] 다음 글을 읽고, 물음에 답하세요.

"내가 지금 누우려고 하게, 서 있으려고 하게?"

도깨비들은 머슴이 낸 ㉠수수께끼에 아무 대답을 할 수 없었어요. 누우려고 한다면 서 있을 것이고, 서 있으려고 한다면 누울 게 뻔했거든요. 도깨비들은 ㉡한참을 저희끼리 ㉢쑥덕대다가 마침내 한 도깨비가 앞으로 썩 나서며 머슴에게 말했어요.

"우리가 졌다. 다시는 네 논에 오지 않겠다."

1 수수께끼 내기에서 결국 누가 이겼는지 골라 ◯표를 하세요.

(머슴 , 도깨비)

2 도깨비가 머슴에게 한 약속은 무엇인가요?
(   )

① 매일 누워 있겠다.

② 다시는 눕지 않겠다.

③ 앞으로 잠을 자지 않겠다.

④ 수수께끼 내기를 하지 않겠다.

⑤ 다시는 머슴의 논에 오지 않겠다.

3 ㉠~㉢ 중 다음 뜻을 지닌 낱말의 기호를 쓰세요.

남이 알아듣지 못하도록 낮은 목소리로 이야기하다.

(   )

[4~5] 다음 글을 읽고, 물음에 답하세요.

우리가 사는 지구는 태양 주위를 빙글빙글 돕니다. 지구가 태양 주위를 한 바퀴 도는 데 일 년이 걸리지요. 그런데 ㉠지구가 약간 기울어져 돌기 때문에 햇빛을 많이 받는 위치에 있을 때에는 여름이 되고, 햇빛을 적게 받는 위치에 있을 때에는 겨울이 되는 거지요. 따라서 우리나라는 지구가 태양 주위를 한 바퀴 도는 동안 봄, 여름, 가을, 겨울을 거치게 되는 것이랍니다.

4 햇빛을 많이 받는 위치에 있을 때에는 어떤 계절이 되는지 골라 ◯표를 하세요.

(1)   (2)

여름   겨울

(   )   (   )

5 ㉠의 결과로 생긴 일은 무엇인가요?
(   )

① 지구가 더러워진다.

② 지구가 점점 뜨거워진다.

③ 사람들이 어지러움을 느낀다.

④ 지구가 태양 주위를 돌게 된다.

⑤ 지구가 태양 주위를 한 바퀴 도는 동안 봄, 여름, 가을, 겨울의 계절이 생긴다.

▶ 정답 및 해설 24쪽

점수

6 다음 시 「소」에서 소의 움직임을 흉내 내는 말을 찾아 쓰세요.

> 아무리 배가 고파도
> 느릿느릿 먹는 소.
>
> 비가 쏟아질 때도
> 느릿느릿 걷는 소.

( )

[7~8] 다음 글을 읽고, 물음에 답하세요.

> 환웅이 하늘 나라에서 내려왔다는 것은 환웅의 무리가 태백산에 ㉠터를 잡고 있던 무리보다 훨씬 큰 힘을 가지고 있었다는 것을 뜻해. ㉡단군이 환웅과 곰 사이에서 태어났다는 것 역시 단군이 환웅의 무리와 곰을 섬기는 부족 사이에서 태어난 인물이라는 뜻이지.

7 ㉠의 뜻은 무엇인지 골라 ○표를 하세요.
(1) 집이나 건물을 지었거나 지을 자리.
( )
(2) 신이나 윗사람을 잘 모시어 받들다.
( )

8 ㉡에 숨겨진 뜻은 무엇인지 빈칸에 들어갈 말을 각각 찾아 쓰세요.

> 단군이 큰 힘을 가지고 있었던
> 의 무리와 을 섬기는 부족 사이에서 태어난 인물이다.

[9~10] 다음 글을 읽고, 물음에 답하세요.

> 천재초등학교에서는 ㉠다문화에 대한 학생들의 올바른 이해를 돕기 위해 4월 15일을 '다문화 이해의 날'로 정하고 온종일 여러 가지 행사를 열었다.
> 각 교실에서는 생활 속에서 마주칠 수 있는 여러 가지 사례가 담긴 다문화 만화 영화 「빨간 자전거」를 ㉡시청하는 시간을 가졌고, 운동장에서는 학생들이 여러 나라의 전통 의상을 입고 행진하는 행사를 진행했다.

9 안에 들어갈 기사문의 제목으로 알맞은 것은 무엇인가요? ( )
① 교실 청소 시작해
② 운동장 점점 더러워져
③ 무더운 날씨에 건강 위험
④ 교통안전 지킴이 행사 열려
⑤ '다문화 이해의 날' 행사 열려

10 ㉠, ㉡의 뜻과 관계있는 그림을 찾아 각각 선으로 이으세요.

(1) ㉠ '다문화' ·

· ①

(2) ㉡ '시청' ·

· ②

창의

1 다음 만화를 읽고, 3주차에서 배운 낱말을 떠올려 어휘 퀴즈에 알맞은 낱말을 빈칸에 각각
쓰세요.

3주
특강

🐻 어휘 퀴즈

❶ '남이 알아듣지 못하도록 낮은 목소리로 이야기하다.'를 뜻하는 말은?

　　　　　　　　　　　　　　　　　　→

❷ '신이나 윗사람을 잘 모시어 받들다.'를 뜻하는 말은? →

❸ '수업 시간에 동영상을 ○○하였다.'의 빈칸에 들어갈 알맞은 말은? →

융합

2 '우리나라 계절의 특징'을 읽고 봄, 여름, 가을, 겨울의 모습에서 어색한 부분을 각각 하나씩 찾아 ◯표를 하세요.

우리나라 계절의 특징

• 봄: 날씨가 따뜻하고 여러 가지 꽃들이 피어요.

• 여름: 날씨가 덥고 비가 자주 내리며, 사람들이 더위를 피해 산이나 바다로 가요.

• 가을: 날씨가 맑고 서늘하며, 단풍이 들어요.

• 겨울: 춥고 건조하며, 눈이 내려서 썰매를 타거나 눈사람을 만들 수 있어요.

▶ 정답 및 해설 25쪽

코딩

3 환웅은 곰에게 사람이 되고 싶으면 쑥과 마늘만 먹으며 동굴에서 백 일을 견디라고 했습니다. 곰이 쑥과 마늘을 찾아 동굴로 가려면 어떤 코딩 명령을 따라야 하는지 ◯표를 하세요.

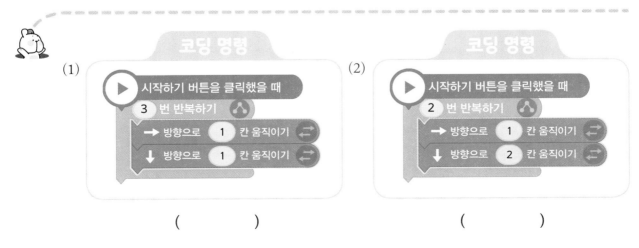

(1) 코딩 명령

( )

(2) 코딩 명령

( )

창의
4 상장을 보고 알맞은 말에 ◯표를 하세요.

생활 어휘

제19-3호

상 장

천재초등학교 1학년 1반
이름 전지한

위 학생은 ▼교내 ▼백일장에서 매우 뛰어
난 ▼글솜씨를 보였기에 칭찬하고 이 상장
을 드립니다.

20◯◯년 ◯월 ◯일
천재초등학교장 김서영

잘한 일을 칭찬하기 위해서 주는 상장이네. 그런데 백일장은 백 일마다 열리는 시장인가?

이 상장을 주는 까닭이 무엇인지 생각해 봐.

얘들아! 백일장은 백 일마다 열리는 시장이 아니라 (1)(글짓기 , 그림 그리기) 대회야. 이번에 지한이는 학교 (2)(안 , 밖)에서 열린 백일장 대회에서 글을 잘 써서 상장을 받은 거야.

어휘 풀이 --

▼**교내** | 학교 교 校, 안 내 內 | 학교의 안. ⑩ 교내 그림 대회에서 상을 받았다.

▼**백일장** | 흰 백 白, 날 일 日, 마당 장 場 | 국가나 단체에서, 글짓기에 힘쓰도록 북돋아 주기 위하여 실시하는 글짓기 대회. ⑩ 이번 금요일에 백일장 행사가 있습니다.

▼**글솜씨** 글을 쓰는 솜씨. ⑩ 내 짝은 글솜씨가 뛰어나다.

창의
5
생활 한자

日(날 일) 자에 대해 알아보고, 다음 물음에 답하세요.

日 자는 태양의 모습을 그린 것으로, '날'이나 '해'라는 뜻을 표현한 글자예요.

날 일

(1) 日 자가 들어간 낱말을 알아보고, 한자의 음을 쓰세요.

① 저희 여행사의 여행 日程은 계획표에 나와 있습니다.

 정

힌트
122쪽에서 공부한 '온종일'에 쓰인 日(날 일) 자에 대해 알아보아요.

② 방학 동안에 매일 日記를 썼다.

기

(2) 한자 성어의 뜻을 알아보고, 빈칸에 알맞은 한자를 쓰세요.

日 就 月 將
날 일   나아갈 취   달 월   장차 장

나날이 다달이 자라거나 발전함.

• 시험 날까지 매일 공부해 就 月 將 (일취월장) 실력을 키웠다.

1-1 밑줄 그은 '핏줄'이 어떤 뜻으로 쓰였는지 골라 ◯표를 하세요.

　모기에 물리면 가려운 것도 바로 모기의 침 때문입니다. 이 침에는 피가 굳는 것을 막아 주고 핏줄을 넓혀 주는 성분이 들어 있는데, 이것들이 피부에 염증을 일으켜 부어오르고 가려워지는 것입니다.

(1) 몸속에서 피가 흐르는 관.　　　　　　　　　　　　　　　(　　)

(2) 같은 조상에서 갈려 나와 혈연관계가 있는 갈래.　　　　　(　　)

1-2 밑줄 그은 낱말을 바르게 고치려면 어떤 자음이 필요한지 골라 ◯표를 하세요.

아빠의 손등에 시퍼런 피줄이 선명하게 보인다.

| ㅂ | ㅅ | ㅇ | ㅈ |

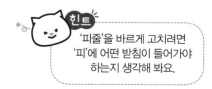

힌트

'피줄'을 바르게 고치려면 '피'에 어떤 받침이 들어가야 하는지 생각해 봐요.

▶ 정답 및 해설 26쪽

2-1 다음 문장에 넣을 바른 낱말을 골라 ◯표를 하세요.

멍텅구리는 '뚝지'라는 바닷물고기입니다. 바다에서 사는데 동작이 아주 느립니다. 판단력도 다른 물고기들에 비해 떨어져 자신이 위험에 빠져도 (눈살 , 눈치)을/를 못 챈다고 합니다.

> **힌트**
> '눈살'의 뜻은 '눈에 독기를 띠며 쏘아보는 시선.'이고, '눈치'의 뜻은 '남의 마음을 그때그때 상황으로 미루어 알아내는 것.'이에요.

2-2 다음 빈칸에 공통으로 들어갈 낱말을 보기 에서 찾아 쓰세요.

- 내 짝은 ⬜⬜ 가 없다.
- 그는 다른 사람이 다 아는 사실을 ⬜⬜ 못 챌 만큼 둔했다.

> **보기**
>
> 배려   눈치   눈코

외나무다리 위의 두 염소

공부한 날　　월　　일

이야기를 읽고 무엇을 깨달았는지 생각해 보자!

이야기 「외나무다리 위의 두 염소」를 읽고 무엇을 깨달을 수 있는지
생각해 보세요.
이야기 속 인물들이 한 말과 행동을 살펴보고, 그 결과가 어떻게
되었는지 살펴보면 깨달음을 얻을 수 있어요.

● 오늘 공부할 글과 그림을 미리 보고, 알맞은 낱말을 각각 찾아 표시하세요.

흰 염소가 으름장을 놓았어요. 하지만 검은 염소는 한 발도 뒤로 물러서지 않았어요.

마침내 흰 염소와 검은 염소는 서로 뿔을 맞대고 밀며 싸우기 시작했어요. 한동안 둘은 엎치락뒤치락 싸우면서, 자기가 먼저 다리를 건너야겠다고 우겼어요.

1 '말과 행동으로 남을 겁나게 하는 것.'이라는 뜻의 낱말을 찾아 ◯표를 하세요.

2 '계속해서 엎치었다가 뒤치었다가 하는 모양.'이라는 뜻의 낱말을 찾아 △표를 하세요.

전체 이야기 듣기

외나무다리 위의 두 염소

스스로 독해

이 글을 읽고 무엇을 깨달았나요? 점선 부분을 따라 선을 그으며 읽어 보고 생각해 보세요.

흰 염소와 검은 염소가 외나무다리에서 만났어요. 둘은 자기가 먼저 외나무다리를 건너야겠다고 우기며 양보를 하지 않았어요.

"물에 빠질 뻔하고도 정신을 못 차렸군. 이번에야말로 냇물 속으로 밀어 버릴 테다."

흰 염소가 으름장을 놓았어요. 하지만 검은 염소는 한 발도 뒤로 물러서지 않았어요.

마침내 흰 염소와 검은 염소는 서로 뿔을 맞대고 밀며 싸우기 시작했어요. 한동안 둘은 엎치락뒤치락 싸우면서, 자기가 먼저 다리를 건너야겠다고 우겼어요. 그러다 두 마리 모두 발이 미끄러져서 냇물 속으로 ㉠ 빠지고 말았어요.

어휘 풀이

▼ **외나무다리** 한 개의 통나무로 놓은 다리. 예 마을 앞에 외나무다리가 하나 놓여 있다.

▼ **양보**|사양할 양 讓, 걸음 보 步| 길이나 자리, 물건 따위를 남에게 미루어 줌.
　예 내 동생은 지하철에서 할머니께 자리를 양보했다.

▼ **으름장** 말과 행동으로 남을 겁나게 하는 것. 예 지각을 하는 학생은 혼을 내 주겠다고 으름장을 놓았다.

▼ **엎치락뒤치락** 계속해서 엎치었다가 뒤치었다가 하는 모양.
　예 두 아이는 서로 맞붙어 엎치락뒤치락하면서 싸웠다.

1 이해

흰 염소와 검은 염소가 싸운 까닭은 무엇인지 쓰세요.

자기가 _____

_____고 우기며 양보를 하지 않았기 때문이다.

2 유추

스스로 독해 해결!

이 이야기를 읽고 깨달을 수 있는 것은 무엇인가요? (   )

① 약속을 잘 지키자.
② 부모님께 효도하자.
③ 거짓말을 하지 말자.
④ 끝까지 최선을 다하자.
⑤ 고집을 부리지 말고 양보를 하자.

4주
1일

3 어휘

㉠   안에 들어갈 말로 가장 알맞은 것은 무엇인가요? (   )

① 졸졸   ② 풍덩   ③ 성큼성큼
④ 아장아장   ⑤ 흔들흔들

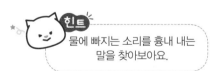

힌트
물에 빠지는 소리를 흉내 내는
말을 찾아보아요.

4 요약

이 글에서 일어난 일을 정리하여 빈칸에 알맞은 말을 각각 쓰세요.

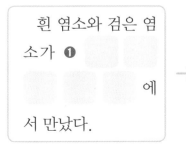

흰 염소와 검은 염
소가 ❶ [   ]
[   ] 에
서 만났다.

→

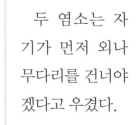

두 염소는 자
기가 먼저 외나
무다리를 건너야
겠다고 우겼다.

→

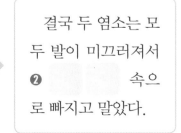

결국 두 염소는 모
두 발이 미끄러져서
❷ [   ] 속으
로 빠지고 말았다.

▶ 정답 및 해설 26쪽

1 다음 중 '뿔'과 같이 'ㅃ'이 들어 있는 낱말을 찾아 모두 ◯표를 하세요.

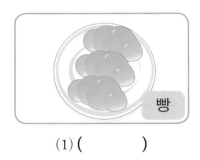
빵
(1) (   )

벌
(2) (   )

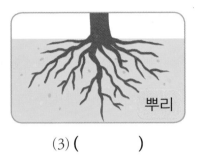
뿌리
(3) (   )

2 다음 그림의 내용에 어울리는 낱말에 ◯표를 하세요.

흰 염소와 검은 염소가 (외나무다리 , 무지개다리 , 돌다리)에서 만났다.

힌트
그림 속 다리의 모습을 살펴보아요.

3 다음 그림을 보고, (   ) 안에 알맞은 낱말을 보기 에서 찾아 쓰세요.

보기

모락모락 연기나 냄새 따위가 조금씩 피어오르는 모양.

엎치락뒤치락 계속해서 엎치었다가 뒤치었다가 하는 모양.

너 왜 이렇게 땀을 많이 흘려?

응, 체육관에서 친구랑 (   ) 하며 운동을 하고 왔거든.

● 다음은 「외나무다리 위의 두 염소」를 읽고 깨달은 점이에요. 밑줄 그은 글자의 자음자와 모음자가 나타내는 숫자를 모두 더한 값은 얼마인지 쓰세요.

이야기를 읽고 깨달은 점

고집을 부리지 말고 양보를 하자.

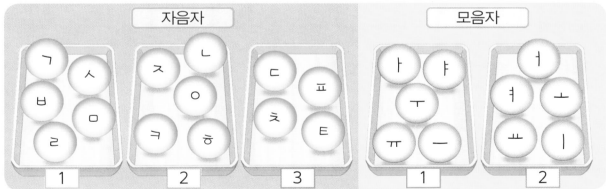

자음자			모음자	
ㄱ ㄴ ㅅ ㅂ ㅁ ㄹ	ㅈ ㄴ ㅇ ㅋ ㅎ	ㄷ ㅍ ㅊ ㅌ	ㅏ ㅑ ㅜ ㅠ ㅡ	ㅓ ㅕ ㅗ ㅛ ㅣ
1	2	3	1	2

 '양보'의 자음자와 모음자는 'ㅇ', 'ㅑ', 'ㅇ', 'ㅂ', 'ㅗ'이고 이것들이 나타내는 숫자는 2 , , , , 이고, 이것을 모두 더하면 이에요.

이야기 「외나무다리 위의 두 염소」를 읽고 **깨달은 점**을 다시 한번 생각해 보고 **한 자리 수 덧셈**도 연습해 봅니다.

모기에게 물리면 왜 가려울까?

공부한 날 　월　일

글을 읽고 새롭게 알게 된 내용을 찾아라!

「모기에게 물리면 왜 가려울까?」를 읽고 새롭게 알게 된 내용을
찾아보세요.

글의 제목을 보고 설명하는 것이 무엇인지 생각해 보고,

자신이 아는 내용과 비교하며 읽으면 찾을 수 있어요.

● 오늘 공부할 글과 그림을 미리 보고, 알맞은 낱말을 찾아 각각 표시하세요.

오늘은 운이 좋아!

　　모기는 피를 빨기 위해서 먼저 톱질을 하듯 입으로 사람이나 동물의 피부에 상처를 냅니다.

1 '사람이나 동물의 몸을 싸고 있는 살의 겉 부분.'이라는 뜻의 낱말을 찾아 ◯표를 하세요.

2 '몸을 다쳐서 상한 자리.'라는 뜻의 낱말을 찾아 △표를 하세요.

모기에 대하여
자세히 알아보기

모기에게 물리면 왜 가려울까?

스스로 독해

이 글을 읽고 모기에 대해 새롭게 알게 된 내용은 무엇인가요? 점선 부분을 따라 선을 그으며 읽어 보고 새롭게 알게 된 점을 생각해 보세요.

모기는 피를 빨기 위해서 먼저 톱질을 하듯 입으로 사람이나 동물의 ㉠피부에 상처를 냅니다. 그리고 그곳에 침을 뱉은 후에 입을 넣어 피를 빨아 먹습니다.

그렇다면 모기는 왜 침을 뱉은 후에 피를 빠는 걸까요? 그것은 모기의 침이 피가 굳는 것을 막아 주기 때문입니다. 피를 열심히 빨고 있는데 피가 굳어 버리면 먹을 수가 없습니다. 모기에 물리면 가려운 것도 바로 모기의 침 때문입니다. 이 침에는 피가 굳는 것을 막아 주고 핏줄을 넓혀 주는 성분이 들어 있는데, 이것들이 피부에 염증을 일으켜 부어오르고 가려워지는 것입니다.

내 침!

어휘 풀이

▽**톱질** 톱으로 나무나 쇠 따위를 자르거나 세로 방향으로 쪼개는 일. ㉐ 흥부는 박을 따서 톱질을 했다.

▽**피부**|가죽 피 皮, 살갗 부 膚| 사람이나 동물의 몸을 싸고 있는 살의 겉 부분. 살갗이라고도 함.
㉐ 누나는 피부가 곱다.

▽**상처**|상처 상 傷, 곳 처 處| 몸을 다쳐서 상한 자리. ㉐ 자전거를 타다가 넘어져서 다리에 상처가 났다.

▽**염증**|불탈 염 炎, 증세 증 症| 몸이 상한 부분에 일어나는 반응으로 붓거나 열이 나고 아픈 느낌을 줌.
㉐ 손에 난 상처에 염증이 생겼다.

1
어휘

㉠과 바꾸어 쓸 수 있는 말은 무엇인가요? (   )

① 혀　　　　　　　　② 뼈　　　　　　　　③ 근육
④ 살갗　　　　　　　⑤ 심장

2
이해

모기가 피를 빨기 위해 가장 먼저 하는 일에 ○표를 하세요.

(1) 사람이나 동물의 피부에 침을 뱉는다. (   )

(2) 입으로 사람이나 동물의 피부에 상처를 낸다. (   )

3
이해

서술형

모기가 침을 뱉은 후에 피를 빠는 까닭은 무엇인지 쓰세요.

모기의 침이 ＿＿＿＿＿＿＿＿＿＿＿＿＿＿＿＿＿＿＿＿＿

＿＿＿＿＿＿＿＿＿＿＿＿＿＿＿＿ 막아 주기 때문이다.

4
요약

스스로 독해 해결!

모기에게 물리면 가려운 것은 무엇 때문인지 글에서 새롭게 알게 된 내용을 떠올리며 빈칸에 알맞은 말을 각각 쓰세요.

모기는 사람이나 동물의 피부에 상처를 내고 그곳에 침을 뱉은 후에
❶ ＿＿＿ 을 넣어 피를 빨아 먹는다.

↓

모기의 침에는 피가 굳는 것을 막아 주고 핏줄을 넓혀 주는 성분이 들어 있다.

↓

모기의 ❷ ＿＿＿ 에 들어 있는 성분이 피부에 염증을 일으켜 부어오르고 가려워진다.

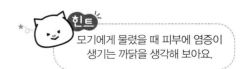

힌트

모기에게 물렸을 때 피부에 염증이
생기는 까닭을 생각해 보아요.

1 다음 문장에서 밑줄 그은 낱말이 가리키는 것은 무엇인지 그림에서 찾아 ○표를 하세요.

> 모기는 피를 빨기 위해서 먼저 <u>톱질</u>을 하듯 입으로 사람이나 동물의 피부에 상처를 냅니다.

(1) (   )

(2) (   )

(3) (   )

2 다음 문장에서 밑줄 그은 낱말과 같은 뜻으로 쓰인 낱말을 찾아 선으로 이으세요.

> 그곳에 침을 뱉은 후에 입을 넣어 피를 빨아 <u>먹습니다</u>.

•

• (1)
> 나는 어제 음식을 많이 <u>먹었습니다</u>.

• (2)
> 내일은 일찍 일어나기로 마음을 <u>먹었습니다</u>.

힌트 주어진 문장에서 '먹다'는 '음식물을 입으로 씹거나 하여 배 속으로 들여보내다.'라는 뜻으로 쓰였어요.

3 다음 낱말의 뜻을 보고, 반대말을 찾아 '반'이라고 쓰세요.

> **굳다** 단단하지 않은 물질이 단단하게 되다.
> 예 모기의 침이 피가 <u>굳는</u> 것을 막아 주기 때문이다.

(1) 녹다 (   )   (2) 얼다 (   )

● 모기에게 물리면 가려운 까닭을 알아보았어요. 그러면 모기에게 물리면 어떻게 해야 할지 알아볼까요? 다음 만화를 보고 빈칸에 알맞은 말을 쓰세요.

4주
2일

 모기에게 물리면 재빨리 깨끗한 물에 씻고   찜질을 하는 것이 가장 좋은 방법이에요.

 「모기에게 물리면 왜 가려울까?」의 내용을 떠올리며 만화를 보고, **모기에게 물리면 어떻게 해야 할지** 알아봅니다.

아가 입은 앵두

공부한 날　　월　　일

시에서 재미있는 부분을 찾아라!

동시 「아가 입은 앵두」를 읽고 재미있는 부분을 찾아보세요.

시에서 대상을 무엇에 빗대었는지 찾아보고,

어떻게 표현하였는지 살펴보면 재미있는 부분을 찾을 수 있어요.

◉ 오늘 공부할 글의 그림을 미리 보고, 빈칸에 알맞은 낱말을 각각 찾아 쓰세요.

| 눈 | 입 | 똑 | 떡 |

엄마가 ❶ ☐ , 한 개 따 먹어도 그대로 있고 아빠가 똑, 한 개 따 먹어도 그대

└→ 거침없이 따거나 떼는 모양.

로 있는 아가의 ❷ ☐ 은 무엇일까요?

└→ 음식이나 먹이를 먹으며 소리를 내는, 입술에서 목구멍까지의 부분.

동시 「아가 입은 앵두」 듣기

아가 입은 앵두

서정숙

스스로 독해

이 시에서 재미있는 부분은 어디인가요? 시의 점선 부분을 따라 선을 그으며 읽어 보고 생각해 보세요.

아가 입은

앵두.

엄마가

똑,

한 개 따 먹어도

그대로 있고.

아빠가

똑,

한 개 따 먹어도

그대로 있고.

어휘 풀이

▼ **입** 음식이나 먹이를 먹으며 소리를 내는, 입술에서 목구멍까지의 부분.

　　예 입을 크게 벌려 사과를 먹었다.

▼ **앵두** 장미과에 속하는, 모양이 작고 둥글며 달콤하고 신맛을 내는 붉은 과일.

　　예 누나의 입은 앵두처럼 빨갛다.

▼ **똑** 거침없이 따거나 떼는 모양. 예 감을 똑 따다.

▲ 앵두

▶정답 및 해설 28쪽

1 이 시에서 '아가 입'을 무엇이라고 표현했나요? (   )

표현

① 사과   ② 앵두   ③ 참외

④ 포도   ⑤ 바나나

힌트
아가 입의 모습을
떠올려 보아요.

2 스스로 독해 해결!

이해 이 시를 읽고 재미있는 부분을 알맞게 말한 사람은 누구인지 ◯표를 하세요.

(1)
엄마, 아빠가
앵두나무의 열매를
따서 먹는 모습이
재미있어.
나래

(   )

(2)
아기의 입을 빨간
앵두라고 빗대어
표현한 것이
재미있어.
혜진

(   )

4주
3일

3 서술형

표현 이 시에서 엄마와 아빠가 아기에게 입을 맞추는 것을 무엇이라고 표현했는지 찾아
쓰세요.

똑, _____ 먹는다.

4 이 시의 내용을 정리하여 빈칸에 알맞은 말을 각각 쓰세요.

요약

아가 입은 ❶   예요.

엄마가 ❷   , 한 개 따 먹어도 그대로 있고,

아빠가 똑, 한 개 따 먹어도 그대로 있어요.

1 다음 그림에 어울리는 문장이 되도록 알맞은 낱말을 찾아 ◯표를 하세요.

엄마, 아빠, 아기는 　　　　　 이에요.

(1) 가족 (　　　　)　　　　　　　　(2) 친구 (　　　　)

힌트
'식구'와 비슷한 뜻의 낱말을
찾아보아요.

2 다음 그림에 알맞은 낱말을 보기 에서 각각 골라 쓰세요.

보기
똑　　　　　주룩주룩　　　　　데굴데굴

(1) (　　　　　　)

(2) (　　　　　　)

(3) (　　　　　　)

◉ 아기가 앵두나무를 찾아가려고 해요. 갈림길의 팻말을 보고 알맞은 낱말을 따라 길에 선을 그으며 찾아가세요.

 동시 「야가 입은 앵두」의 내용을 떠올리면서, 시에 나타난 **낱말의 뜻**을 생각하며 재미있게 길 찾기를 해 봅니다.

왜 바보 같은 사람을 가리켜 '멍텅구리'라고 할까?

공부한 날 　　월　　일

글을 읽고 낱말의 뜻을 알아보자!

「왜 바보 같은 사람을 가리켜 '멍텅구리'라고 할까?」를 읽고
낱말의 뜻을 알아보세요. 낱말 앞뒤의 내용을 살펴보고,
중요한 내용은 무엇인지 정리하며 읽으면 낱말의 뜻을 알 수 있어요.

◉ 오늘 공부할 글의 그림을 미리 보고, 빈칸에 알맞은 낱말을 각각 찾아 쓰세요.

| 습관 | 눈치 | 판단력 | 창의력 |

동작이 아주 느리고 ❶ ☐☐☐ 도 다른 물고기들에 비해 떨어지는 바

↳ 사물을 보고 기준에 따라 옳고 그름이나 좋고 나쁨을 결정할 수 있는 능력.

닷물고기가 있어요. 위험에 빠져도 ❷ ☐☐ 를 못 채는 물고기의 이름은 무

↳ 남의 마음을 그때그때 상황으로 미루어 알아내는 것.

엇일까요? 그리고 이 물고기의 이름이 또 무엇을 뜻할까요?

왜 바보 같은 사람을 가리켜 '멍텅구리'라고 할까?

스스로 독해

'멍텅구리'라는 낱말의 뜻은 무엇인가요? 점선 부분을 따라 선을 그으며 읽고 답해 보세요.

우리는 바보 같은 사람을 가리켜 '멍텅구리'라고 부를 때가 있습니다. 멍텅구리는 '뚝지'라는 바닷물고기입니다. 바다에서 사는데 동작이 아주 ㉠느립니다. 판단력도 다른 물고기들에 비해 떨어져 자신이 위험에 빠져도 눈치를 못 챈다고 합니다. 그래서 '판단력이 느리고 바보 같은 짓을 하는 사람'을 가리켜 '멍텅구리'라고 부르게 되었답니다.

어휘 풀이

▼ **판단력** | 판가름할 판 判, 끊을 단 斷, 힘 력 力 | 사물을 보고 기준에 따라 옳고 그름이나 좋고 나쁨을 결정할 수 있는 능력.

　예) 누나는 판단력이 정확해서 실수하는 일이 거의 없다.

▼ **위험** | 위태할 위 危, 험할 험 險 | 해를 입거나 다칠 가능성이 있어 안전하지 못함. 또는 그런 상태.

　예) 소방관은 위험을 무릅쓰고 불이 난 건물로 뛰어들었다.

▼ **눈치** | 남의 마음을 그때그때 상황으로 미루어 알아내는 것.

　예) 내 동생은 어리지만 눈치가 빠르다.

▶ 정답 및 해설 29쪽

1 ㉠과 뜻이 비슷한 낱말을 골라 ○표를 하세요.

어휘

(1) 날쌥니다 (　　　　)

(2) 빠릅니다 (　　　　)

(3) 느릿느릿합니다 (　　　　)

힌트

'느리다'는 '어떤 동작을 하는 데 걸리는 시간이 길다.'라는 뜻이에요.

2 멍텅구리에 대한 설명으로 알맞지 <u>않은</u> 것을 두 가지 고르세요. (　　　　　)

이해

① 물고기이다.

② 개울가에서 산다.

③ 동작이 아주 느리다.

④ 자신이 위험에 빠지면 눈치가 빨라진다.

⑤ 판단력이 다른 물고기들에 비해 떨어진다.

4주 4일

스스로 독해 해결! 서술형

3 이 글에서 어떤 사람을 가리켜 '멍텅구리'라고 하는지 낱말의 뜻을 쓰세요.

이해

```
┌─────────────────────────────────────────────┐
│  [그림]                                        │
│                              _____  │
│                                               │
│                     _____ 을/를 하는 사람 │
└─────────────────────────────────────────────┘
```

4 이 글에서 중요한 내용을 정리하여 빈칸에 알맞은 낱말을 각각 쓰세요.

요약

멍텅구리는 '뚝지'라는 바닷물고기로 ❶　　　　　　 이 아주 느리고 판단력도 다른 물고기들에 비해 떨어진다.

→

그래서 '판단력이 느리고 바보 같은 짓을 하는 사람'을 가리켜 ❷　　　　　　 라고 부르게 되었다.

1 다음 동작을 나타내는 낱말에 알맞은 그림을 찾아 각각 선으로 이으세요.

(1) 느리다 ·

· ①

(2) 빠르다 ·

· ②

2 다음 보기 의 낱말 뜻을 보고, 그림의 내용에 알맞은 낱말을 각각 찾아 ○표를 하세요.

> **보기**
>
> 가르치다 알지 못하던 것을 깨닫거나 익히게 하다.
> 가리키다 손가락 따위로 어떤 대상을 집어서 알려 주거나 방향을 알려 주다.

(1)

동생이 먹고 싶은 빵을 손가락으로 (가리키고 , 가르치고) 있다.

(2)

어머니께서 나에게 발레를 (가르쳐 , 가리켜) 주셨다.

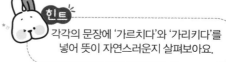
힌트 각각의 문장에 '가르치다'와 '가리키다'를 넣어 뜻이 자연스러운지 살펴보아요.

◉ '멍텅구리'처럼 어떤 특성을 가진 사람을 가리키는 낱말이 있어요. 사다리를 타고 내려가서 뜻에 알맞은 낱말을 찾아가세요.

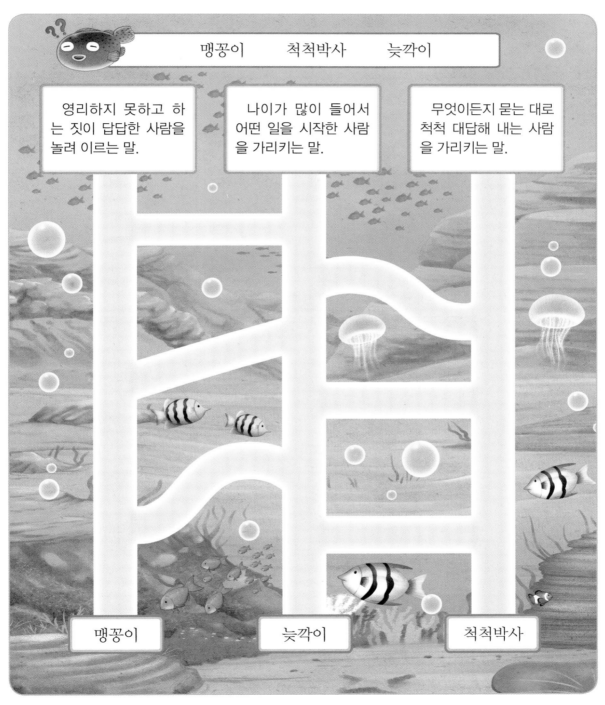

 「왜 바보 같은 사람을 가리켜 '멍텅구리'라고 할까?」의 내용을 떠올리며 '멍텅구리'처럼 **어떤 특성을 가진 사람을 가리키는 낱말**에 대해 더 알아봅니다.

소화기 사용 방법

공부한 날 　　　월 　　　일

글을 읽고 사용 방법을 알아보자!

「소화기 사용 방법」을 읽고 소화기의 사용 방법을 알아보세요.
소화기를 어떻게 사용하는지, 주의할 점은 무엇인지 알아보며
정리하면 알 수 있어요.

● 오늘 공부할 글의 사진과 그림을 미리 보고, 빈칸에 알맞은 낱말을 보기 에서 각각 찾아 쓰세요.

보기

화재   소화기   가급적   손잡이   주변

❶

불을 끄는 기구.
예 ○○○ 사용 방법

❷

불이 나는 사고. 또는 불로 인한 사고.
예 우리 주변에서 ○○ 사고가 일어났다.

❸

손으로 어떤 것을 열거나 들거나 붙잡을 수 있도록 덧붙여 놓은 부분.
예 ○○○를 힘껏 움켜잡습니다.

소방서에 대하여
자세히 알아보기

스스로 독해

소화기를 어떻게 사용해야 할까요? 점선 부분을 따라 선을 그으며 내용을 차례에 따라 정리해 보고 소화기 사용 방법을 알아보세요.

소화기 사용 방법

만약 주변에서 화재 사고가 일어난다면 당황하지 말고 소화기를 사용해서 불을 끕니다. 소화기를 집어 들 때에는 안전핀이 빠지지 않도록 주의합니다.

1 소화기를 들고 불이 난 장소로 이동하여 가급적 가까이에서 안전핀을 뽑습니다.

2 소화기 호스 끝부분을 잡고 불이 난 방향으로 향하게 합니다.

3 소화기의 손잡이를 힘껏 움켜잡습니다.

4 바람을 등진 상태로 앞에서부터 불을 끕니다.

어휘 풀이

▼**화재**|불 화 火, 재앙 재 災| 불이 나는 사고. 또는 불로 인한 사고. 예 옆 건물에 큰 화재가 났다.

▼**사고**|일 사 事, 옛 고 故| 뜻밖에 일어난 불행한 일. 예 이 도로에는 자동차 사고가 많이 일어난다.

▼**당황**|당나라 당 唐, 어렴풋할 황 慌| 뜻밖의 일을 당하여 놀라거나 어찌할 바를 모름.
　　예 갑자기 딸꾹질이 나와서 당황하였다.

▼**소화기**|꺼질 소 消, 불 화 火, 그릇 기 器| 불을 끄는 기구. 예 불을 끌 때에는 소화기를 사용한다.

▼**가급적**|옳을 가 可, 미칠 급 及, 과녁 적 的| 할 수 있는 대로. 또는 가능하다면.

▼**손잡이** 손으로 어떤 것을 열거나 들거나 붙잡을 수 있도록 덧붙여 놓은 부분.

▼**등진** 등 앞에 둔. 예 벽을 등진 상태로 섰다.

▶ 정답 및 해설 30쪽

1 이 글에서 알려 주는 내용은 무엇인가요? (　　　)
이해

① 소화기의 가격　　　　　　　② 소화기의 종류

③ 소화기 사용 방법　　　　　　④ 소화기를 만든 사람

⑤ 소화기를 구할 수 있는 곳

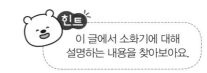

힌트
이 글에서 소화기에 대해
설명하는 내용을 찾아보아요.

서술형

2 소화기를 집어 들 때 주의할 점은 무엇인지 찾아 쓰세요.
이해

소화기를 집어 들 때에는 ＿＿＿＿＿＿＿＿＿

＿＿＿＿＿＿＿＿＿＿＿＿＿＿＿＿＿＿＿ 주의한다.

4주
5일

스스로 독해 해결!

3 소화기 사용 방법을 정리하여 빈칸에 알맞은 말을 각각 쓰세요.
요약

불이 난 장소로 이동했을 때	가급적 가까이에서 ❶ ▢▢▢ 을 뽑는다.
소화기의 호스 끝부분을 잡을 때	불이 난 방향으로 향하게 한다.
소화기의 손잡이를 잡을 때	손잡이를 힘껏 움켜잡는다.
불을 끌 때	❷ ▢▢ 을 등진 상태로 앞에서부터 불을 끈다.

1 다음 낱말의 뜻을 읽고 바르게 쓰인 문장에 모두 ◯표를 하세요.

가급적 할 수 있는 대로. 또는 가능하다면.

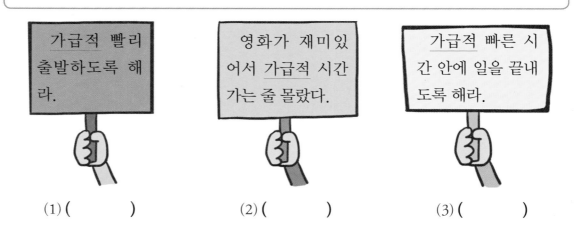

가급적 빨리 출발하도록 해라.

영화가 재미있어서 가급적 시간 가는 줄 몰랐다.

가급적 빠른 시간 안에 일을 끝내도록 해라.

(1) (   )   (2) (   )   (3) (   )

2 다음 문장에서 밑줄 그은 낱말과 같은 뜻으로 쓰인 낱말을 골라 ◯표를 하세요.

만약 주변에서 화재 사고가 일어난다면 당황하지 말고 다음과 같은 방법에 따라 소화기를 사용해서 불을 끕니다.

(1) 동네 앞에서 자동차 사고가 크게 났다. (   )
(2) 똑똑한 우리 누나는 사고 능력이 뛰어나다. (   )

힌트
'사고'에는 여러 가지 뜻이 있어요. '뜻밖에 일어난 불행한 일.'이라는 뜻으로 쓰인 낱말을 찾아보아요.

3 끝말잇기를 해 보세요.

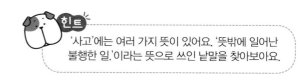

소화기 ➡ [   ] ➡ [   ] ➡ [   ]

◎ 불이 나면 어떻게 행동해야 할지 알아보아요. 그림에서 알맞은 행동을 한 친구들의 이름을 쓰고, 해당하는 숫자를 찾아 쓰세요.

 불이 났을 때 알맞게 행동한 친구는   ,   , 종국이고, 그 친구들이 있는 그림의 숫자는   , , 9예요. 이 숫자는 불이 났을 때 소방서에 신고할 수 있는 번호예요.

「소화기 사용 방법」의 내용을 떠올리며 그림을 보고, **불이 나면 어떻게 행동해야 하는지** 더 알아봅니다.

[1~3] 다음 글을 읽고, 물음에 답하세요.

㈎ 흰 염소와 검은 염소가 외나무다리에서 만났어요. 둘은 자기가 먼저 외나무다리를 건너야겠다고 우기며 양보를 하지 않았어요.

㈏ 흰 염소와 검은 염소는 서로 뿔을 맞대고 밀며 싸우기 시작했어요. 한동안 둘은 ㉠엎치락뒤치락 싸우면서, 자기가 먼저 다리를 건너야겠다고 우겼어요. 그러다 두 마리 모두 발이 미끄러져서 냇물 속으로 풍덩 빠지고 말았어요.

1 흰 염소와 검은 염소가 어디에서 만났는지 글 ㈎에서 찾아 쓰세요.

( )

2 글 ㈏에서 흰 염소와 검은 염소가 물에 빠진 까닭은 무엇인가요? ( )

① 다리가 너무 짧아서

② 비가 많이 와 물이 넘쳐서

③ 누가 빨리 가는지 내기를 하여서

④ 흰 염소가 검은 염소를 업어 주어서

⑤ 양보하지 않고 서로 먼저 가겠다고 싸워서

3 ㉠의 뜻은 무엇인지 골라 ○표를 하세요.

(1) 계속해서 엎치었다가 뒤치었다가 하는 모양. ( )

(2) 크고 무거운 물건이 깊은 물에 떨어지거나 빠질 때 무겁게 한 번 나는 소리. ( )

[4~5] 다음 글을 읽고, 물음에 답하세요.

모기는 왜 침을 뱉은 후에 피를 빠는 걸까요? 그것은 모기의 침이 피가 굳는 것을 막아 주기 때문입니다. 피를 열심히 빨고 있는데 피가 굳어 버리면 먹을 수가 없습니다. 모기에 물리면 가려운 것도 바로 모기의 침 때문입니다. 이 침에는 피가 굳는 것을 막아 주고 핏줄을 넓혀 주는 성분이 들어 있는데, 이것들이 피부에 염증을 일으켜 부어오르고 가려워지는 것입니다.

4 이 글은 어떤 동물에 대해 알려 주는 글인지 골라 ○표를 하세요.

(1) 나비 ( )　　(2) 모기 ( )

5 모기의 침에 대해 알맞게 말한 것을 두 가지 고르세요. ( )

① 피가 굳는 것을 막아 준다.

② 상처를 빨리 낫게 해 준다.

③ 피부가 부어오르는 것을 막아 준다.

④ 핏줄을 넓혀 주는 성분이 들어 있다.

⑤ 상처 부위에 염증이 생기는 것을 막아 준다.

6 다음 시에서 아가의 입을 무엇에 빗대어 표현했는지 찾아 쓰세요.

아가 입은 앵두.	엄마가 똑, 한 개 따 먹어도 그대로 있고.

(   )

[7~8] 다음 글을 읽고, 물음에 답하세요.

멍텅구리는 '뚝지'라는 바닷물고기입니다. 바다에서 사는데 동작이 아주 느립니다. 판단력도 다른 물고기들에 비해 떨어져 자신이 위험에 빠져도 눈치를 못 챈다고 합니다. 그래서 '판단력이 느리고 바보 같은 짓을 하는 사람'을 가리켜 '멍텅구리'라고 부르게 되었답니다.

7 '멍텅구리'라는 물고기에 대해서 바르게 말한 것은 무엇인가요? (   )

① 강에서 산다.
② 판단력이 빠르다.
③ '뚝지'라고도 불린다.
④ 위험을 빠르게 눈치챈다.
⑤ 다른 물고기와 함께 새끼를 기른다.

8 어떤 사람을 가리켜 '멍텅구리'라고 부르는지 빈칸에 들어갈 말을 찾아 쓰세요.

이 느리고 바보 같은 짓을 하는 사람.

[9~10] 다음 글을 읽고, 물음에 답하세요.

소화기를 집어 들 때에는 안전핀이 빠지지 않도록 주의합니다.

㉠	소화기를 들고 불이 난 장소로 이동하여 가급적 가까이에서 안전핀을 뽑습니다.
㉡	소화기 호스 끝부분을 잡고 불이 난 방향으로 향하게 합니다.
㉢	소화기의 손잡이를 힘껏 움켜잡습니다.
	바람을 등진 상태로 앞에서부터 불을 끕니다.

9 무엇의 사용 방법을 알려 주는 글인지 세 글자로 찾아 쓰세요.

(   )

10 ㉠~㉢에 들어갈 알맞은 그림을 찾아 각각 선으로 이으세요.

(1) ㉠ •

• ①

(2) ㉡ •

• ②

(3) ㉢ •

• ③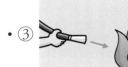

창의

1 다음 만화를 읽고, 4주차에서 배운 낱말을 떠올려 어휘 퀴즈에 알맞은 낱말을 빈칸에 각각 쓰세요.

4주

특강

🐻 **어휘 퀴즈**

❶ '말과 행동으로 남을 겁나게 하는 것.'을 뜻하는 말은? →

❷ '몸이 상한 부분에 일어나는 반응으로 붓거나 열이 나고 아픈 느낌을 줌.'을 뜻하는 말은? →

❸ '불이 나는 사고. 또는 불로 인한 사고.'를 뜻하는 말은? →

융합
2
모기는 사람에게 해를 끼치는 대표적인 동물입니다. 동물들이 한 말을 읽으며, 사람에게 도움이 되는 동물들만 찾아 이동하여 텐트가 있는 도착지까지 가 보세요.

3 지안이가 「소화기 사용 방법」에서 설명한 대로 소화기를 사용해 보려고 해요. 지안이가 소화기를 찾을 수 있도록 코딩 카드에 알맞은 숫자를 쓰세요.

❶ 오른쪽으로

2 칸 간다.

❷ 아래쪽으로

칸 간다.

❸ 오른쪽으로

1 칸 간다.

창의
4 안내문을 보고 알맞은 말에 ○표를 하세요.

생활 어휘

영화를 볼 때 지켜야 할 예절을 알려 주는 안내문이네.

영화 관람 에티켓

■영화 관람 중 사진 촬영은 절대 금지예요.

■앞 좌석을 발로 차지 마세요.

■휴대 전화는 진동으로 바꿔 주시거나 전원을 잠시 꺼 주세요.

■관람 후 쓰레기는 영화관 밖 쓰레기통에 버려 주세요.

즐거운 관람이 되기를 바랍니다.
천재 영화관

다른 사람에게 피해를 주지 않으려면 안내문의 내용을 잘 이해해야 해.

애들아! 이 안내문은 영화 보기 전에 영화관에서 지켜야 할 예절을 알려 주는 거야. 영화를 볼 때 앞 (1) (자리 , 계단)을/를 발로 차지 말아야 해. 그리고 휴대 전화는 소리가 (2) (나게 , 나지 않게) 바꾸거나 전원을 잠시 끄고, 쓰레기는 영화가 끝난 후 영화관 밖 쓰레기통에 버려야 해.

어휘 풀이

▼**관람** |볼 관 觀, 볼 람 覽| 　연극, 영화, 운동 경기, 미술품 따위를 구경함.
　　예 나는 동생과 연극을 관람하였다.

▼**금지** |금할 금 禁, 그칠 지 止| 　어떤 일을 법이나 규정이나 지시 따위로 하지 못하게 함. 예 출입 금지

▼**좌석** |자리 좌 座, 자리 석 席| 　앉을 수 있게 마련된 자리. 　예 옆 좌석이 비어 있었다.

▼**진동** |떨칠 진 振, 움직일 동 動| 　흔들려 움직임. 예 이 기차는 진동이 심해서 어지러웠다.

▶ 정답 및 해설 31쪽

창의 5

생활 한자

可(옳을 가) 자에 대해 알아보고, 다음 물음에 답하세요.

可 자는 농기구와 입의 모양을 함께 그린 글자로 옳다라는 뜻을 표현한 글자예요.

(1) 可 자가 들어간 낱말을 알아보고, 한자의 음을 쓰세요.

① 누나는 이번 시험에 합격할 可能性이 높다고 하였다.

능 성

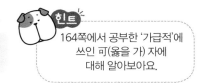

힌트
164쪽에서 공부한 '가급적'에 쓰인 可(옳을 가) 자에 대해 알아보아요.

4주
특강

② 야영장 이용을 許可해 주세요.

허

(2) 한자 성어의 뜻을 알아보고, 빈칸에 알맞은 한자를 쓰세요.

장난감 사 줘!

莫 無 可 奈
없을 막 없을 무 옳을 가 어찌 내

달리 어찌할 수 없음.

• 내 동생은 장난감을 사 달라며 莫 無 　 奈 (막무가내)로 떼를 썼다.

똑똑한 하루 독해 한권 끝!

독해 공부 하느라 수고했어요.
약속을 잘 지켰는지 돌아보고 ○표를 하세요.

약속한 사람 _____

첫째, 하루하루 빠짐없이 꾸준히 공부했나요?   예   아니요

둘째, 하루 독해 문제를 끝까지 다 풀었나요?   예   아니요

셋째, 틀린 문제는 왜 틀렸는지 다시 한번 확인했나요?   예   아니요

약속을 잘 지키지 못한 부분은 스스로 돌아보고,
다음 단계를 공부할 때에는 더 열심히 해 봐요!

그럼, 다음 책으로 고고!

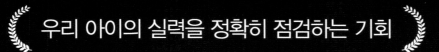

우리 아이의 실력을 정확히 점검하는 기회

40년의 역사
전국 초·중학생 213만 명의 선택

HME 학력평가
해법수학 · 해법국어

응시 학년
수학 | 초등 1학년 ~ 중학 3학년
국어 | 초등 1학년 ~ 초등 6학년

응시 횟수
수학 | 연 2회 (6월 / 11월)
국어 | 연 1회 (11월)

주최 천재교육 | 주관 한국학력평가 인증연구소 | 후원 서울교육대학교

*응시 날짜는 변동될 수 있으며, 더 자세한 내용은 HME 홈페이지에서 확인 바랍니다.

빠른 정답이 들어 있어요!

똑 똑 한
하루
독해

정답 및 해설

1 단계
B
예비초~1학년

천재교육

정답과 해설 포인트 3가지

▶ 혼자서도 이해할 수 있는 친절한 문제 풀이

▶ 문제 해결에 도움을 주는 '더 알아보기'와
   틀린 부분을 짚어 주는 '왜 틀렸을까?'

▶ 예시 답안과 채점 기준 제시로 서술형 문항 완벽 대비

똑똑한 하루 독해

정답 및 해설

1주

010쪽~011쪽

1주에는 무엇을 공부할까? ❷

1-1 (1) ○   1-2 구별
2-1 성공   2-2 실패

012쪽~017쪽   1주 1일

독해 미리 보기

❶ 장터   ❷ 오누이

독해

1 ③   2 까칠까칠했기 때문이다. 등
3 ①   4 ❶ 호랑이 ❷ 오빠

독해 어휘

1 (1) 형제 (2) 오누이 (3) 자매
2 (1) 팔목 (2) 장마당

독해 게임

↓	→	→	↓	↓	→

018쪽~023쪽   1주 2일

독해 미리 보기

1 색색   2 보배

독해

1 ④   2 (2) ○   3 코와 귀의 기능 등
4 ❶ 색깔 ❷ 색깔

독해 어휘

1 (1) 빨강, 빨간색 (2) 파랑, 파란색 (3) 노랑, 노란색
  (4) 검정, 검은색
2 (1) 구별 (2) 보배

독해 게임

(1) 보라 (2) 주황 (3) 초록

024쪽~029쪽   1주 3일

독해 미리 보기

❶ 쓱쓱   ❷ 신   ❸ 고향

독해

1 ①   2 새 그릴 때 등
3 (1) ② (2) ①   4 ❶ 새 ❷ 숲

독해 어휘

1 (1) 숲 (2) 고향
2 (1) 신나요 (2) 우울해요 (3) 궁금해요

독해 게임

(1) ○ (2) △ (3) □

030쪽~035쪽   1주 4일

독해 미리 보기

1 번번이   2 실패

독해

1 책도 읽을 수 있게 등   2 성공
3 ⑤   4 ❶ 전구 ❷ 포기

독해 어휘

1 (1) ③ (2) ① (3) ②   2 (1) 포기 (2) 도전

독해 게임

(1) 실패 (2) 원리

036쪽~041쪽   1주 5일

독해 미리 보기

❶ 차도   ❷ 야간   ❸ 수칙

독해

1 ④   2 ㉮   3 자전거나 오토바이가 등
4 ❶ 안전한 ❷ 교통

독해 어휘

1 (1) 인도 (2) 횡단보도 (3) 차도
2 (1) 통학 (2) 수칙 (3) 야간

독해 게임

❶ ○   ❷ ○   ❸ ×   ❹ ○

채민이의 안전한 교통 생활 수칙 점수는 3 점이다.

042쪽~043쪽

누구나 100점 테스트

1 ③	**2** ②	**3** (1) ○	**4** ⑤
5 (2) ○	**6** ④	**7** 엄마	**8** (1) ○
9 준수	**10** (3) ○		

044쪽~049쪽

1주 특강

1 ❶ 색색 ❷ 고향 ❸ 야간

2 숲

3 ❸, 밤

4 (1) 가루 (2) 입맛

5 (1) ① 야 경 ② 야 행 성

　 (2) 夜 半 逃 走

052쪽~053쪽

2주에는 무엇을 공부할까? ❷

1-1 고드름

1-2 (2) ○

2-1 (2) ○

2-2 집안일

054쪽~059쪽

2주 1일

독해 미리 보기

1 사기꾼 **2** 쏙

독해

1 (2) ○

2 “ 정 말 ∨ 훌 륭 한 ∨ 옷 이 야 .”

3 ④ **4** ❶ 바보 ❷ 옷

독해 어휘

1 척 **2** (1) 일 꾼 (2) 구 경 꾼

3 (1) ○

독해 게임

(1) 5(다섯) (2) 6(여섯) (3) 11(열한)

060쪽~065쪽

2주 2일

독해 미리 보기

❶ 은행 ❷ 예금 ❸ 이자

독해

1 (1) ② (2) ① **2** 안전하게 보관 등

3 ④ **4** ❶ 돈 ❷ 이자

독해 어휘

1 (3) ○ **2** 겪 었 어 요 **3** (1) ○

독해 게임

은행

066쪽~071쪽

2주 3일

독해 미리 보기

❶ 마리 ❷ 남매

독해

1 다섯 **2** 귀여워서이다. 등 **3** ④

4 ❶ 황소 ❷ 식구

독해 어휘

1 남매 **2**

 벌　 강아지　 나비

독해 게임

숨바꼭질을 하고 있는 생쥐는 모두 다섯(5) 마리입니다.

빠른 정답

072쪽~077쪽

2주 4일

독해 미리 보기
❶ 생각　　❷ 집안일

독해
1 (2) ○　　2 잘되도록 힘을 등　　3 ②
4 ❶ 아빠　❷ 집안일

독해 어휘
1 (2) ×

2 (1) | 남 | 녀 | 를 | ∨ | 차 | 별 | 하 | 지 | ∨ | 말 | 자 | . |

(2) | 신 | 분 | 에 | ∨ | 따 | 라 | ∨ | 차 | 별 | 했 | 다 | . |

독해 게임

나도 간호사가 되어서 아픈 사람을 돕고 싶어.
정우

아니야. 간호사는 여자 직업이야. 남자는 간호사가 될 수 없다고.
연아

독해 게임

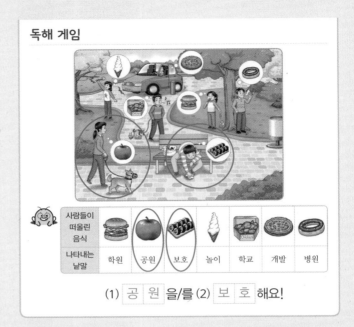

사람들이 떠올린 음식							
나타내는 낱말	학원	공원	보호	놀이	학교	개발	병원

(1) | 공 | 원 | 을/를 (2) | 보 | 호 | 해요!

084쪽~085쪽

누구나 100점 테스트

1 ①　　2 ①　　3 (2) ○　　4 은행
5 ①, ⑤　　6 오르르　　7 아빠　　8 서윤
9 ⑤　　10 (1) ○

078쪽~083쪽

2주 5일

독해 미리 보기
❶ 반려동물　❷ 수목　　❸ 불법

독해
1 ②　　2 주의할 점 등　　3 (2) ○
4 ❶ 목줄　❷ 불

독해 어휘
1

소개한　　소중한　　소복한

2 (2) ○　(4) ○　(5) ○　(6) ○

086쪽~091쪽

2주 특강

1 (1) 보관　(2) 차별　(3) 수거

2 | ❶ → | ❷ → | ❸ ↓ | ❹ ↓ | ❺ → | ❻ ↓ |

3 5, 3, 2

4 (1) 함께　(2) 목줄　(3) 사나운

5 (1) ❶ | 이 | 익 |　❷ | 편 | 리 |

(2) | 漁 | 夫 | 之 | 利 |

3주

3주에는 무엇을 공부할까? ❷

1-1 도깨비   1-2 도깨비
2-1 (2) ○   2-2 계절

   3주 1일

독해 미리 보기

1 머슴   2 논

독해

1 ④   2 ③
3 서 있을 것 등   4 ❶ 도깨비 ❷ 머슴

독해 어휘

1 (1) 쑥덕 (2) 졌   2 (1) ② (2) ③ (3) ①

독해 게임

(1) 일본 (2) 우리나라

   3주 2일

독해 미리 보기

❶ 바퀴   ❷ 기울어져

독해

1 ③   2 ⑤   3 약간 기울어져 돌기 등
4 ❶ 지구 ❷ 계절

독해 어휘

1 (1) 나뭇잎 (2) 아랫입술   2 (1) ③ (2) ① (3) ②

독해 게임

(1) ㉮ (2) ㉯

   3주 3일

독해 미리 보기

❶ 느릿느릿 ❷ 쏟아져도

독해

1 느릿느릿 2 ⑤   3 한참 있다
4 ❶ 소 ❷ 느릿느릿

독해 어휘

1 서글프다   2 (1) ② (2) ③ (3) ①

독해 게임

→	→	①↓	←	②↓	→	↓

   3주 4일

독해 미리 보기

❶ 고조선   ❷ 부족

독해

1 ①   2 고조선을 세웠다. 등   3 (2) ○
4 ❶ 단군 ❷ 곰

독해 어휘

1 (1) 나았다 (2) 낳았다   2 사이

독해 게임

널리 인 간 을 이 롭 게 하라.

   3주 5일

독해 미리 보기

❶ 다문화   ❷ 시청   ❸ 의상

독해

1 (2) ○   2 ③, ⑤   3 올바른 이해를 등
4 ❶ 운동장 ❷ 다문화

독해 어휘

1 사례   2 (1) 말씀 (2) 진지

독해 게임

❶ ㉣   ❷ ㉢   ❸ ㉤   ❹ ㉠   ❺ ㉡

누구나 100점 테스트

1 머슴	2 ⑤	3 ㉢	4 (1) ○
5 ⑤	6 느릿느릿	7 (1) ○	8 환웅, 곰
9 ⑤	10 (1) ② (2) ①		

128쪽~133쪽

3주 특강

1 ❶ 쑥덕대다 ❷ 섬기다 ❸ 시청

2

3 (1) ○   4 (1) 글짓기 (2) 안

5 (1) ① 일 정 ② 일 기

　(2) 日 就 月 將

136쪽~137쪽

4주에는 무엇을 공부할까? ❷

1-1 (1) ○   1-2 ㅅ

2-1 눈치   2-2 눈치

138쪽~143쪽

4주 1일

독해 미리 보기

1 으름장   2 엎치락뒤치락

독해

1 먼저 외나무다리를 건너야겠다 등   2 ⑤

3 ②   4 ❶ 외나무다리 ❷ 냇물

독해 어휘

1 (1) ○ (3) ○   2 외나무다리

3 엎치락뒤치락

독해 게임

1, 2, 1, 2, 8

144쪽~149쪽

4주 2일

독해 미리 보기

1 피부   2 상처

독해

1 ④   2 (2) ○   3 피가 굳는 것을 등

4 ❶ 입 ❷ 침

독해 어휘

1 (1) ○   2 (1) 먹었습니다   3 (1) 반

독해 게임

얼음

150쪽~155쪽

4주 3일

독해 미리 보기

❶ 똑   ❷ 입

독해

1 ②   2 (2) ○   3 한 개 따

4 ❶ 앵두 ❷ 똑

독해 어휘

1 (1) ○   2 (1) 데굴데굴 (2) 주룩주룩 (3) 똑

독해 게임

4주 **4**일

독해 미리 보기

❶ 판단력 ❷ 눈치

독해

1 (3) ○ 2 ②, ④ 3 판단력이 느리고 바보 같은
짓 등 4 ❶ 동작 ❷ 멍텅구리

독해 어휘

1 (1) ① (2) ② 2 (1) 가리키고 (2) 가르쳐

독해 게임

4주 **5**일

독해 미리 보기

❶ 소화기 ❷ 화재 ❸ 손잡이

독해

1 ③ 2 안전핀이 빠지지 않도록
3 ❶ 안전핀 ❷ 바람

독해 어휘

1 (1) ○ (3) ○ 2 (1) ○
3 예 기자 → 자전거 → 거울

독해 게임

재석, 지효, 1, 1

누구나 100점 테스트

1 외나무다리 2 ⑤ 3 (1) ○ 4 (2) ○
5 ①, ④ 6 앵두 7 ③ 8 판단력
9 소화기 10 (1) ② (2) ③ (3) ①

4주 특강

1 ❶ 으름장 ❷ 염증 ❸ 화재

2

3 3
4 (1) 자리 (2) 나지 않게
5 (1) ① 가 능 성 ② 허 가
(2) 莫 無 可 奈

010쪽~011쪽

1주에는 무엇을 공부할까? 2

1-1 (1) ○ 1-2 구별
2-1 성공 2-2 실패

1-1 (2) '아주 귀하고 소중하며 꼭 필요한 사람이나 물건 따위를 빗대어 이르는 말.'은 '보배'의 뜻입니다.

1-2 두 문장 모두 '성질이나 종류에 따라 차이가 남. 또는 성질이나 종류에 따라 갈라놓음.'의 '구별'을 넣어야 문장이 자연스럽습니다.

2-1 '성장'의 뜻은 '사람이나 동식물 따위가 자라서 점점 커짐.'입니다. 이 문장에서는 '목적한 바를 이룸.'을 뜻하는 '성공'이 들어가야 알맞습니다.

2-1 '성공'과 뜻이 반대인 낱말은 '일이 잘못되어 뜻한 대로 되지 않거나 그르침.'을 뜻하는 '실패'입니다.

1일

013쪽 **똑똑한 하루 독해 미리 보기**

❶ 장터 ❷ 오누이

014쪽~015쪽 **똑똑한 하루 독해**

1 ③ 2 까칠까칠했기 때문이다. 등
3 ① 4 ❶ 호랑이 ❷ 오빠

1 '오누이'는 오빠와 여동생을 가리키는 말로 '남매'와 바꾸어 쓸 수 있습니다.

> **왜 틀렸을까?**
> ①의 '자매'는 언니와 여동생을 가리키는 말이고, ②의 '형제'는 형과 남동생을 가리키는 말이므로 답이 될 수 없습니다.

2 호랑이가 문틈으로 앞발을 불쑥 내밀자 오빠는 "우리 엄마 손이 아닌데. 까칠까칠해."라고 말하였습니다.

> **채점 기준**
> 까칠까칠하다는 내용이 들어가게 답을 썼으면 정답으로 합니다.

3 호랑이가 엄마인 척을 하며 문을 열라고 말했지만 오빠는 조심스럽게 엄마가 맞는지 틀린지 확인하였습니다. 이와 같은 오빠의 말과 행동으로 보아 오빠는 조심스러운 성격임을 짐작할 수 있습니다.

4 어머니 옷으로 갈아입고 오누이가 기다리는 집으로 간 것은 호랑이이고, 호랑이의 목소리를 듣고 엄마 목소리가 아니라며 문을 열어 주지 않은 것은 오빠입니다.

016쪽 **똑똑한 하루 독해 어휘**

1 (1) 형제 (2) 오누이 (3) 자매 2 (1) 팔목 (2) 장마당

1 (1) 형과 남동생은 '형제'라고 합니다.
  (2) 오빠와 여동생은 '오누이'라고 합니다.
  (3) 언니와 여동생은 '자매'라고 합니다.

2 (1) '손목'은 '팔과 손이 잇닿은 팔의 끝부분.'이라는 뜻의 '팔목'과 뜻이 비슷한 말입니다.
  (2) '장터'는 '장이 서는 곳.'이라는 뜻의 '장마당'과 뜻이 비슷한 말입니다.

017쪽 **똑똑한 하루 독해 게임**

◉ 오누이에게 필요한 도구는 도끼, 동아줄, 삼태기입니다. 다음 그림에서 화살표를 따라가며 도끼, 동아줄, 삼태기가 무엇인지 각각 확인해 봅니다.

더 알아보기

· **도끼**: 나무를 찍거나 장작을 패는 도구입니다.

· **동아줄**: 굵고 튼튼하게 꼰 줄입니다.

· **삼태기**: 싸리, 칡, 짚, 새끼 등을 엮어서 흙이나 쓰레기, 거름 따위를 담아 나르는 데 쓰는 도구입니다.

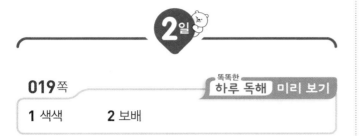

2일

019쪽   똑똑한 **하루 독해** 미리 보기

1 색색   **2** 보배

020쪽~**021**쪽   똑똑한 **하루 독해**

1 ④   **2** (2) ○   **3** 코와 귀의 기능 등

4 ❶ 색깔 ❷ 색깔

1 사람은 약 1만 7천 가지의 색깔을 알아볼 수 있는데, 이와 같이 색색의 아름다운 세상을 볼 수 있게 해 주는 눈은 우리 몸의 보배라고 하였습니다.

2 앞뒤의 일이 서로 반대될 때 쓰는 말인 '하지만'과 바꾸어 쓸 수 있는 말은 '그러나'입니다.

더 알아보기

이어 주는 말

· **그리고** : 앞뒤의 일을 나란히 이어 줄 때 씁니다.

· **그러나** : 앞뒤의 일이 서로 반대될 때 씁니다.

· **그래서** : 앞의 일로 뒤의 일이 일어날 때 씁니다.

3 개가 색깔을 구별하는 능력과 보는 능력이 약한 대신, 코와 귀의 기능이 뛰어나서 사람보다 훨씬 냄새도 잘 맡고 소리도 잘 듣는다고 하였습니다.

채점 기준

코와 귀의 기능이라는 내용이 들어가게 답을 썼으면 정답으로 합니다.

4 사람의 눈은 약 1만 7천 가지의 색깔을 알아볼 수 있지만, 개는 색깔을 구별하는 능력과 보는 능력이 약해서 세상이 흐릿하게 보이는 것이 사람이 보는 세상과 개가 보는 세상의 다른 점이라고 정리할 수 있습니다.

022쪽   똑똑한  어휘

1 (1) 빨강, 빨간색 (2) 파랑, 파란색 (3) 노랑, 노란색 (4) 검정, 검은색   **2** (1) 구별 (2) 보배

1 '빨강'과 '빨간색', '파랑'과 '파란색', '노랑'과 '노란색', '검정'과 '검은색'은 서로 뜻이 비슷한 말입니다. (1)~(4)에서 두 낱말의 순서를 바꾸어 써도 정답입니다.

2 (1) 요즘은 남자 옷과 여자 옷에 차이가 없다거나 남자 옷과 여자 옷을 갈라놓지 않는다는 뜻의 문장이므로 낱말 '구별'을 쓰는 것이 알맞습니다.

(2) '구슬이 서 말이라도 꿰어야 보배'라는 속담은 아무리 훌륭하고 좋은 것이라도 다듬고 정리하여 쓸모 있게 만들어 놓아야 값어치가 있음을 빗대어 이르는 말입니다. '진주가 열 그릇이나 꿰어야 구슬'이라는 속담과 바꾸어 쓸 수 있습니다.

023쪽   똑똑한 **하루 독해** 게임

(1) 보라 (2) 주황 (3) 초록

● (1) 빨강과 파랑을 섞으면 보라가 됩니다.

(2) 빨강과 노랑을 섞으면 주황이 됩니다.

(3) 파랑과 노랑을 섞으면 초록이 됩니다.

더 알아보기

물감으로 색깔을 섞어 다른 색깔 만들기 예

· 노랑＋초록＝연두

· 파랑＋초록＝청록

· 파랑＋보라＝남색

· 빨강＋보라＝자주

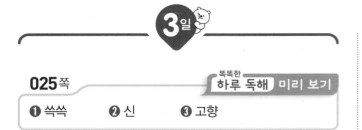

3일

025쪽 똑똑한 **하루 독해** 미리 보기

❶ 쓱쓱   ❷ 신   ❸ 고향

026쪽~**027**쪽 똑똑한 **하루 독해**

1 ①   2 새 그릴 때 등
3 (1) ② (2) ①   4 ❶ 새 ❷ 숲

1 이 시의 1연에서 연필은 산 그릴 때 쓱쓱 잘 그린다고 하였습니다.

(왜 틀렸을까?)

'쓱쓱'은 '거침없이 일을 손쉽게 해치우는 모양.'을 뜻하는 낱말이고 '뚝딱뚝딱'도 '일을 잇따라 거침없이 손쉽게 해치우는 모양.'을 뜻하는 낱말입니다. 이와 같이 '쓱쓱'과 '뚝딱뚝딱'은 서로 뜻이 비슷하지만, 이 시에서는 연필이 그림을 그리는 모양을 '쓱쓱'이라는 낱말로 표현하였기 때문에 '뚝딱뚝딱'은 답이 될 수 없습니다.

2 이 시의 2연에서 연필은 새 그릴 때 신난다고 하였습니다.

채점 기준
새 그릴 때라는 내용을 썼으면 정답으로 합니다.

3 이 시의 3연에서 연필은 나무가 엄마고, 숲이 고향이라고 표현하였습니다.

(더 알아보기)

비유적 표현

• 어떤 현상이나 사물을 비슷한 현상이나 사물에 빗대어 표현하는 것을 비유적 표현이라고 합니다.
  ㉧ 내 동생 얼굴은 보름달같이 둥글다.
    → '내 동생 얼굴'을 '보름달'에 빗대어 표현함.
• 비유적 표현을 읽으면 생생한 느낌이 나고 내용을 이해하기 쉽습니다.

4 연필은 새 그릴 때 신난다고 하였고, 연필의 고향은 숲이라고 하였습니다.

028쪽 똑똑한 **하루 독해** 어휘

1 (1) 숲 (2) 고향
2 (1) 신나요 (2) 우울해요 (3) 궁금해요

1 (1) '나무들이 무성하게 우거지거나 꽉 들어찬 것.'을 '숲'이라고 합니다. '숩'으로 쓰지 않도록 주의합니다.
  (2) '자기가 태어나서 자란 곳.'을 '고향'이라고 합니다. '고양'으로 쓰지 않도록 주의합니다.
2 (1) 방학을 해서 기분이 매우 좋은 상황이므로 '신나요'를 써야 합니다.
  (2) 친구와 다퉈 기분이 좋지 않은 상황이므로 '우울해요'를 써야 합니다.
  (3) 선물 상자 안에 어떤 선물이 들어 있을지 궁금해하는 상황이므로 '궁금해요'를 써야 합니다.

029쪽 똑똑한 **하루 독해** 게임

(1) ○ (2) △ (3) □

◉ (1) 해, 나무, 꽃, 애벌레에서 ○ 모양을 찾을 수 있습니다.
  (2) 나무, 여우, 나비, 꽃에서 △ 모양을 찾을 수 있습니다.
  (3) 건물, 창문, 나무, 자동차, 횡단보도에서 □ 모양을 찾을 수 있습니다.

(더 알아보기)

여러 가지 모양의 도형 ㉧

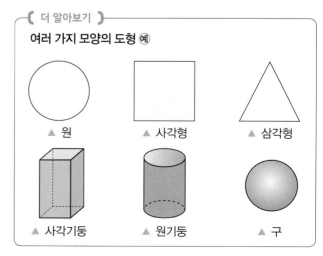

▲ 원   ▲ 사각형   ▲ 삼각형
▲ 사각기둥   ▲ 원기둥   ▲ 구

4일

1 번번이　　**2** 실패

1 책도 읽을 수 있게 등　　**2** 성공
3 ⑤　　**4** ❶ 전구　❷ 포기

1 글의 첫 번째 문장에서 에디슨은 전구를 발명해서 사람들이 밤에도 낮처럼 편하게 일하고 책을 읽을 수 있게 하고 싶었다고 하였습니다.

> **채점 기준**
> 책을 읽을 수 있게 하고 싶었다는 내용이 들어가게 답을 썼으면 정답으로 합니다.

2 '실패'는 '일을 잘못하여 뜻한 대로 되지 않거나 그르침.'이라는 뜻의 낱말로, '목적하는 바를 이룸.'이라는 뜻의 낱말인 '성공'과 뜻이 반대입니다.

3 그만 포기하고 싶지 않냐는 친구의 말에 자신은 실패가 아니라 새로운 방법으로 계속 공부하는 것이라고 말하며 포기할 생각을 하지 않고 이천 번이 넘게 도전한 끝에 제대로 된 전구를 만드는 것으로 보아, 에디슨은 쉽게 포기하지 않는 성격임을 짐작할 수 있습니다.

> **왜 틀렸을까?**
> 다른 사람들을 위해 전구를 발명하려고 열심히 노력하는 에디슨의 모습으로 보아 '게으르다.'와 '이기적이다.'는 답이 될 수 없습니다. 또 친구의 말을 듣고도 포기하지 않는 것으로 보아 '남의 말을 잘 듣는다.'도 답이 될 수 없습니다. 이 글에서는 명랑한 성격을 짐작할 만한 에디슨의 말이나 행동도 나타나 있지 않으므로 '명랑하다.'도 답이 될 수 없습니다.

4 에디슨이 한 일은 제대로 된 전구를 만든 것이고, 에디슨에게 본받을 점은 쉽게 포기하지 않고 계속해서 도전하는 정신입니다.

> **더 알아보기**
> **전기문의 특성**
> • 인물의 삶을 사실에 근거해 쓴 글입니다.
> • 인물이 살았던 시대 상황이 나타나 있습니다.
> • 인물이 한 일과 인물의 가치관이 나타나 있습니다.

1 (1) ③　(2) ①　(3) ②
2 (1) 포기　(2) 도전

1 (1) '발명'과 '-왕'을 합쳐서 아직까지 없던 기술이나 물건을 새로 생각하여 만들어 내는 데 가장 뛰어난 사람을 가리키는 말이 되었습니다.

> **더 알아보기**
> **자주 헷갈리는 '발명'과 '발견'에 대해 알아보기**
> • **발명**: 아직까지 없던 기술이나 물건을 새로 생각하여 만들어 냄.
> • **발견**: 미처 찾아내지 못하였거나 아직 알려지지 않은 사물이나 현상, 사실 따위를 찾아냄.

(2) '저축'과 '-왕'을 합쳐서 저축을 가장 많이 하는 사람을 빗대어 이르는 말이 되었습니다.

(3) '컴퓨터'와 '-왕'을 합쳐서 컴퓨터를 매우 잘하는 사람을 빗대어 이르는 말이 되었습니다.

2 (1) '하려던 일을 도중에 그만두어 버림.'이라는 뜻의 낱말인 '포기'가 알맞습니다.

(2) '가치 있는 것이나 목표한 것을 얻기 위해 어려움에 맞섬.'이라는 뜻의 낱말인 '도전'이 알맞습니다.

035쪽 — 똑똑한 하루 독해 게임

🐶 나는 한 번도 (1) 실 패 한 적이 없다. 단지 전구가 빛을 내지 않은 2000가지 (2) 원 리 를 알아냈을 뿐이다.

- (1) ◉ 기호는 '실' 자를 나타내고, ♣ 기호는 '패' 자를 나타내므로 빈칸에 들어갈 낱말은 '실패'입니다.
- (2) ◆ 기호는 '원' 자를 나타내고, ★ 기호는 '리' 자를 나타내므로 빈칸에 들어갈 낱말은 '원리'입니다.

(더 알아보기)

에디슨이 남긴 유명한 말
- 고생 없이 얻을 수 있는, 귀중한 것은 하나도 없다.
- 모든 시도가 실패해도 나는 실망하지 않았다. 왜냐하면, 그 실패는 성공으로 가는 밑거름이 되기 때문이다.

5일

037쪽 — 똑똑한 하루 독해 미리 보기

❶ 차도   ❷ 야간   ❸ 수칙

038쪽~039쪽 — 똑똑한 하루 독해

1 ④   2 ㉮   3 자전거나 오토바이가 등
4 ❶ 안전한 ❷ 교통

1 '차도'는 자동차만 다니게 한 길이므로 '찻길'과 뜻이 비슷한 말입니다.

2 ㉮에서는 횡단보도를 건너기 전에 안전한지 좌우를 확인하고 있습니다.

(왜 틀렸을까?)

㉯: 횡단보도를 건너면서 휴대 전화로 게임을 하고 있으므로 안전한 교통 생활 수칙을 이해하고 실천했다고 할 수 없습니다.

㉰: 차도에서 보호대도 없이 킥보드를 타고 있으므로 안전한 교통 생활 수칙을 이해하고 실천했다고 할 수 없습니다.

3 안전한 교통 생활 수칙에서 차에서 내릴 때에는 자전거나 오토바이가 지나가는지 확인하라고 했습니다.

채점 기준
자전거나 오토바이라는 내용이 들어가게 답을 썼으면 정답으로 합니다.

4 이 글에서 안내하고 있는 것은 안전한 교통 생활 수칙입니다.

040쪽 — 똑똑한 하루 독해 어휘

1 (1) 인도 (2) 횡단보도 (3) 차도
2 (1) 통학 (2) 수칙 (3) 야간

1 (1) 사람이 다니는 길이므로 '인도'입니다.
  (2) 사람이 차도를 건너기 위해 마련한 길이므로 '횡단보도'입니다.
  (3) 자동차가 다니는 길이므로 '차도'입니다.

2 (1) '집에서 학교까지 다님.'이라는 뜻의 '통학'을 써야 합니다.
  (2) '지켜야 할 사항을 정한 규칙.'이라는 뜻의 '수칙'을 써야 합니다.
  (3) '해가 진 뒤부터 먼동이 트기 전까지의 동안.'이라는 뜻의 '야간'을 써야 합니다.

041쪽 — 똑똑한 하루 독해 게임

❶ ○   ❷ ○   ❸ ×   ❹ ○
🐶 채민이의 안전한 교통 생활 수칙 점수는 3 점이다.

- ❶에서는 버스에서 내리기 전 자전거나 오토바이가 지나가는지 확인하고 있으므로 2점을 더해야 하고, ❷에서는 비 오는 날 눈에 잘 띄는 노란색 옷을 입고 있으므로 2점을 더해야 합니다. ❸에서는 세워 둔 차의 바로 뒤에서 놀고 있으므로 3점을 빼야 하고, ❹에서는 공원에서 인라인스케이트를 타고 있으므로 2점을 더해야 합니다. 따라서 게임 규칙에 따라 계산해 보면 '2+2-3+2=3'이므로 채민이의 안전한 교통 생활 수칙 점수는 3점입니다.

042쪽~043쪽 평가 **누구나 100점 테스트**

1 ③	2 ②	3 (1) ○	4 ⑤
5 (2) ○	6 ④	7 엄마	8 (1) ○
9 준수	10 (3) ○		

1 호랑이는 어머니 목소리를 흉내 내며 문을 열라고 하였습니다.

2 '장터'의 뜻은 '많은 사람들이 모여 물건을 사고파는 장이 서는 곳.'입니다.

〔 왜 틀렸을까? 〕
　① '나무들이 무성하게 우거지거나 꽉 들어찬 곳.'은 '숲 (수풀)'의 뜻입니다.

3 호랑이의 목소리를 듣고 아무 의심 없이 문을 열려고 하는 부분에서 누이동생의 성격을 알 수 있습니다.

〔 더 알아보기 〕
오빠의 성격을 알 수 있는 말과 행동
• 그 목소리를 듣고, 누이동생이 문을 열려고 하자 오빠가 얼른 누이동생 손목을 붙잡았어요.
• "엄마 목소리가 아니야!"
• "그럼, 문틈으로 손을 밀어 넣어 보세요."

4 이어지는 부분에서 개와 인간이 보는 세상이 어떻게 다른지 설명하고 있으므로, '개에게는 세상이 우리와 다르게 보인다고 합니다.'가 알맞습니다.

5 개는 색깔을 구별하는 능력이 사람보다 약하며, 세상이 흐릿하게 보인다고 하였습니다.

6 2연에서 연필은 새를 그릴 때 신난다고 하였습니다.

7 3연에서 연필은 '나무'가 엄마이고, '숲'이 고향이라고 하였습니다.

8 '전류를 통하여 빛을 내는 기구.'는 '전구'입니다.

9 은지는 세워 둔 차의 바로 앞이나 뒤에서 놀지 않는다는 수칙을 지키지 않았고, 서현이는 가지고 놀던 공이 차도로 굴러가도 절대로 뛰어나가지 않는다는 수칙을 지키지 않았습니다.

10 야간 및 눈·비가 올 때는 눈에 잘 띄는 노란색 옷을 입는 것이 좋습니다.

044쪽~049쪽 특강 창의·융합·코딩

1 ❶ 색색　❷ 고향　❸ 야간
2 숲
3 ❸, 밤
4 (1) 가루　(2) 입맛
5 (1) ① 야 경　② 야 행 성
　　(2) 夜 半 逃 走

1 1주에서 배운 낱말을 떠올리며 알맞은 답을 만화에서 찾아 써 봅니다.

2 주어진 코딩 명령을 따라가면 다음과 같습니다.

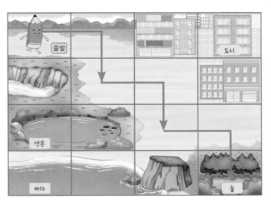

3 에디슨이 전구를 발명하여 사람들은 밤에도 낮처럼 편하게 공부를 하거나 일을 할 수 있게 되었습니다.

4 '분말스프'는 '건더기, 첨가물 따위를 가루로 만든 수프.'를 말하므로 '가루'가 알맞습니다. 그리고 '기호'가 들어갈 자리에 '입맛'을 넣어 보면 문장이 자연스럽습니다.

5 (1) ① 야경(夜景): 밤의 경치.
　　② 야행성(夜行性): 낮에는 쉬고 밤에 활동하는 동물의 습성.

〔 더 알아보기 〕
'夜' 자가 들어간 낱말 예
• 야근(夜勤): 퇴근 시간이 지나 밤늦게까지 하는 근무.
• 야시장(夜市場): 밤에 벌이는 시장.
• 야학(夜學): '야간 학교'를 줄여 이르는 말.

　(2) 빈칸에 夜(밤 야) 자를 적어 '남의 눈을 피하여 한밤중에 도망함.'이라는 뜻의 '야반도주(夜半逃走)'를 완성합니다.

052쪽~053쪽 ▸ 2주에는 무엇을 공부할까? ❷

1-1 고드름   1-2 (2) ○
2-1 (2) ○   2-2 집안일

1-1 '위에서 아래로 떨어지는 물이 길게 얼어붙은 얼음.'을 뜻하는 낱말은 '고드름'입니다.

1-2 '고드름'은 위에서 아래로 떨어지는 물이 얼어붙은 것이므로 길쭉한 모양의 얼음을 찾습니다.

2-1 (1)에 나온 '한 가정의 살림살이를 맡아 꾸려 가는 안주인.'은 '가정주부'를 뜻하는 말입니다.

2-2 빨래, 청소와 같은 일을 '집안일'이라고 하고, '지반닐'은 '집안일'을 소리 나는 대로 적은 것입니다.

1일

055쪽 ▸ 똑똑한 하루 독해 미리 보기

1 사기꾼   2 쏙

056쪽~057쪽 ▸ 똑똑한 하루 독해

1 (2) ○
2 " 정 말 ∨ 훌 륭 한 ∨ 옷 이 야 . "
3 ④   4 ❶ 바보 ❷ 옷

1 사기꾼은 임금님에게 새 옷을 입혀 주며 "이 옷은 바보의 눈에는 보이지 않는 옷이랍니다."라고 거짓말을 하였습니다. '거짓말'은 '사실이 아닌 것을 사실인 것처럼 꾸며 대며 말을 함. 또는 그런 말.'이라는 뜻입니다.

2 거리에서 벌거벗은 임금님을 본 사람들은 다들 바보 소리를 듣고 싶지 않아서 "정말 훌륭한 옷이야."라고 말했습니다.

> **채점 기준**
> 글에 나타난 사람들의 말을 그대로 잘 찾아 썼으면 정답으로 합니다.

3 '벌거숭이 임금님'이라는 말을 들은 임금님이 얼굴이 빨개져서 성으로 돌아간 것에서 부끄러운 마음이라는 것을 알 수 있습니다.

4 글에서 일어난 일의 차례를 생각하며 중요한 내용을 정리하여 봅니다.

058쪽 ▸ 똑똑한 하루 독해 어휘

1 척   2 (1) 일 꾼 (2) 구 경 꾼
3 (1) ○

1 '사실이 아닌 것을 사실인 것처럼 꾸미는 거짓 태도나 모양.'을 뜻하는 '척'이라는 낱말이 들어가야 합니다.

2 '-꾼'은 '어떤 사람.'이라는 뜻을 더해 주는 말입니다. 그래서 일을 해 주는 사람은 '일꾼'이라고 하고, 구경하는 사람은 '구경꾼'이라고 합니다.

> **[더 알아보기]**
> **'꾼'이 쓰인 낱말 더 보기 예**
> • **살림꾼**: 살림을 도맡아서 하는 사람.
> • **소리꾼**: 판소리를 아주 잘하는 사람.
> • **심부름꾼**: 심부름을 하는 사람.
> • **씨름꾼**: 씨름을 잘하는 사람.
> • **낚시꾼**: 낚시를 하는 사람.
> • **말썽꾼**: 말썽을 자주 피우는 사람.
> • **재주꾼**: 재주가 많거나 뛰어난 사람.

059쪽 ▸ 똑똑한 하루 독해 게임

임금님은 윗옷값으로 금화 (1) 5(다섯) 개, 바지값으로 금화 (2) 6(여섯) 개를 주어 총 금화 (3) 11(열한) 개를 사기꾼에게 주었을 것입니다.

◉ 윗옷값 금화 5개에 바지값 금화 6개를 더하여 11개의 금화를 사기꾼에게 주었을 것입니다. 이것을 식으로 나타내면 아래와 같습니다.

5 + 6 = 11

각 칸에 들어갈 금화 개수를 숫자나 글자로 바르게 써 봅니다.

061쪽 — 하루 독해 미리 보기

❶ 은행 ❷ 예금 ❸ 이자

062쪽~063쪽 — 하루 독해

1 (1) ② (2) ① 　2 안전하게 보관 등
3 ④ 　4 ❶ 돈 ❷ 이자

1 은행에 돈을 맡기는 것을 '예금'이라고 하고, 돈을 맡겨 놓아서 받는 돈을 '이자'라고 합니다.

〔 더 알아보기 〕

국어사전에 실려 있는 낱말의 뜻 더 찾아보기
- **예금**: 일정한 계약에 의하여 은행이나 우체국 따위에 돈을 맡기는 일. 또는 그 돈. 당좌 예금, 정기 예금, 보통 예금 따위로 나눈다.
- **이자**: 남에게 돈을 빌려 쓴 대가로 치르는 일정한 비율의 돈.

2 은행이 없던 옛날에는 사람들이 돈을 안전하게 보관하는 데 어려움을 겪었습니다.

채점 기준
글에서 은행이 없던 옛날에 사람들이 겪었던 어려움을 잘 찾아 썼으면 정답으로 합니다.

3 은행은 돈을 안전하게 맡아 주는 곳입니다.

〔 왜 틀렸을까? 〕
- ①: '소방서'에 대한 설명입니다.
- ②: '경비실'에 대한 설명입니다.
- ③: '병원'에 대한 설명입니다.
- ⑤: '식당'에 대한 설명입니다.

4 은행이 무엇을 하는 곳인지가 잘 드러나도록 중요한 내용을 정리하여 봅니다.

〔 더 알아보기 〕
은행이 무엇을 하는 곳인지, 사람들은 은행에서 무엇을 하는지 등에 대한 설명을 잘 읽어 보고 중요한 내용을 정리해야 하는 것에 주의합니다.

064쪽 — 하루 독해 어휘

1 (3) ○ 　2 겪 었 어 요 　3 (1) ○

1 돈을 안전하게 맡아 주는 곳은 '은행'입니다.

〔 왜 틀렸을까? 〕
- (1): 경찰서는 사람들을 안전하게 지켜 주는 일을 하는 곳입니다.
- (2): 소방서는 불이 났을 때 불을 끄고, 불이 나지 않도록 살피는 일을 하는 곳입니다.

2 쌍받침 'ㄲ'과 'ㅆ'에 주의하며 글자를 바르게 따라 씁니다.

〔 더 알아보기 〕

쌍받침과 겹받침에 대해 알아보기
- **쌍받침**: 같은 자음자가 겹쳐서 된 받침.
  예 ㄲ, ㅆ
- **겹받침**: 서로 다른 두 개의 자음으로 이루어진 받침.
  예 ㄳ, ㄵ, ㄼ, ㄽ, ㄾ, ㄿ, ㅄ

3 '맡아'를 소리 내어 읽으면 [마타]라고 소리 납니다.

〔 더 알아보기 〕

받침 있는 말 뒤에 모음자가 올 때의 낱말 읽기
받침이 있는 말 뒤에 모음자가 오면 받침이 뒤에 있는 모음자로 넘어가서 소리 납니다.
예 밥이[바비], 하늘에[하느레], 책을[채글]

065쪽 — 하루 독해 게임

이 만화에서 부자 영감은 돈을 땅속에 묻어 두었다가 모두 잃고 말았습니다. 이처럼 옛날에는 ((은행), 병원)이 없어서 돈을 보관하는 데 어려움을 겪었습니다.

● 만화에서 부자 영감은 돈을 안전하게 보관하려고 사람들이 잘 오지 않는 곳에 묻어 두었습니다. 그리고 돈을 묻지 않았다는 푯말을 세워 두었는데, 사람들이 오히려 그 푯말을 보고 돈을 가져갔습니다. 이 내용에서 돈을 맡아 주는 은행이 없었던 때에 돈을 보관하기 어려웠던 사람들의 모습을 알 수 있습니다.

3일

067쪽   똑똑한 하루 독해 미리 보기

❶ 마리   ❷ 남매

068쪽~**069**쪽   똑똑한 하루 독해

1 다섯   **2** 귀여워서이다. 등   **3** ④
4 ❶ 황소 ❷ 식구

1 황소 아저씨에게 생쥐 남매 다섯이 오르르 몰려왔다고 하였습니다.

> 〔 더 알아보기 〕
>
> 생쥐를 셀 때 '한 마리', '두 마리', '세 마리', '네 마리', '다섯 마리'처럼 세야 합니다. '오 마리'와 같이 세지 않도록 주의합니다.

2 모두 똑같은 생쥐 남매 다섯을 본 황소 아저씨는 생쥐들이 귀여워서 두 눈이 오목오목 커졌다고 하였습니다.

> **채점 기준**
> '생쥐들이 귀여워서'라는 의미로 답을 썼으면 정답으로 합니다.

3 생쥐들은 황소 아저씨랑 사이좋은 식구가 되었다고 하였으므로 황소 아저씨를 보고 놀라서 도망을 쳤다는 것은 알맞지 않습니다.

> 〔 왜 틀렸을까? 〕
>
> ①: '생쥐 다섯이 오르르 몰려왔어요.'라는 내용에서 알 수 있습니다.
> ②: "얼레? 모두 똑같구나!"라는 황소 아저씨의 말에서 알 수 있습니다.
> ③: '생쥐들은 아저씨 목덜미에 붙어 자기도 하고, 겨드랑이에서 자기도 하였어요.'라는 내용에서 알 수 있습니다.
> ⑤: '황소 아저씨 등을 타 넘고 다니며 술래잡기도 하고 숨바꼭질도 하였어요.'라는 내용에서 알 수 있습니다.

4 생쥐들이 황소 아저씨에게 몰려온 뒤에 일어난 일을 차례대로 정리하여 봅니다.

070쪽   똑똑한 하루 독해 어휘

1 남매   **2** 벌 / 강아지 / 나비

1 오빠와 '나'라고 하였으므로 남자와 여자 형제 또는 오빠와 여동생을 나타내는 '남매'라는 말이 들어가야 합니다.

2 '마리'는 '짐승이나 물고기, 벌레 따위를 세는 말.'이므로, '벌', '강아지', '나비'를 셀 수 있습니다.

> 〔 왜 틀렸을까? 〕
>
> '완두콩', '사과', '김밥', '밤', '꽃'은 짐승이나 물고기, 벌레 따위가 아니어서 '마리'로 셀 수 없습니다.

071쪽   똑똑한 하루 독해 게임

🐷 숨바꼭질을 하고 있는 생쥐는 모두 〔 다섯(5) 〕 마리입니다.

◉ 그림에서 숨어 있는 생쥐를 모두 찾아보고, 몇 마리인지 세어 봅니다. 숨어 있는 생쥐들을 찾아보며 이야기 「황소 아저씨」에서 생쥐들의 행동과 모습을 떠올려 볼 수 있습니다.

4일

073쪽
똑똑한 하루 독해 **미리 보기**

❶ 생각 　　 ❷ 집안일

074쪽~075쪽
똑똑한 하루 독해

1 (2) ◯　　　　2 잘되도록 힘을 등　　　3 ②
4 ❶ 아빠　 ❷ 집안일

1 사람들은 보통 아빠가 집안일을 할 때 '아빠가 집안일을 돕는다.'라는 표현을 쓴다고 하였습니다.

{ 더 알아보기 }

'집안일'의 뜻 알아보기

　살림을 꾸려 나가면서 해야 하는 여러 가지 일. 빨래, 밥하기, 청소 따위를 이름.

2 '돕다'는 '남이 하는 일이 잘되도록 힘을 보태다.'라는 뜻이라고 하였습니다.

　　　채점 기준
　　　글에서 '돕다'의 뜻을 잘 찾아 썼으면 정답으로 합니다.

3 '아빠가 집안일을 돕는다.'는 표현에는 집안일은 아빠의 일이 아니라는 생각이 담겨 있습니다.

{ 왜 틀렸을까? }

　'엄마가 집안일을 돕는다.'라고 하지 않는 것에서 '아빠가 집안일을 돕는다.'에 담긴 생각이 무엇인지 짐작할 수도 있습니다. ①, ③, ④, ⑤는 글에 나타나 있지 않은 내용이어서 답이 될 수 없습니다.

4 '아빠가 집안일을 돕는다.'는 표현에 담긴 생각이 무엇인지를 생각하며 글의 내용을 정리해 봅니다.

076쪽
똑똑한 하루 독해　**어휘**

1 (2) ×

2 (1) | 남 | 녀 | 를 | ∨ | 차 | 별 | 하 | 지 | ∨ | 말 | 자 | . |
　 (2) | 신 | 분 | 에 | ∨ | 따 | 라 | ∨ | 차 | 별 | 했 | 다 | . |

1 집안일은 살림을 꾸려 나가면서 해야 하는 일인데, (2)는 책을 읽는 모습으로 집안일과 거리가 멉니다.

{ 왜 틀렸을까? }

각 사진에 나타난 집안일 알아보기

(1) ▲ 청소 - 쓰레질　　(3) ▲ 청소 - 먼지 털기
(4) ▲ 청소 - 걸레질　　(5) ▲ 밥하기

2 '둘 이상의 대상을 각각 등급이나 수준 따위의 차이를 두어서 구별함.'이라는 뜻을 생각하며 '차별'을 각 문장에 넣어 쓰고, 쓰임을 익혀 봅니다.

{ 더 알아보기 }

　(2)에 쓰인 '신분'이라는 낱말은 '개인의 사회적인 위치나 계급.'이라는 뜻입니다. 옛날에는 양반이나 하인 등의 신분에 따른 차별이 있었습니다.

077쪽
똑똑한 하루 독해　**게임**

나도 간호사가 되어서 아픈 사람을 돕고 싶어. _정우_

아니야. 간호사는 여자 직업이야. 남자는 간호사가 될 수 없다고. _연아_

◉ 남자 간호사의 인터뷰 내용을 통해서 남자도 간호사가 될 수 있는 것을 알 수 있습니다. 간호사는 여자 직업이라는 연아의 말은 '아빠가 집안일을 돕는다.'는 말처럼 잘못된 생각이 담긴 것입니다.

{ 더 알아보기 }

간호사가 하는 일

　간호사는 의사의 진료를 돕고 환자를 돌보는 사람입니다. 간호사는 의사가 치료하는 일을 돕고, 의사가 없을 때에는 긴급한 환자에게 응급조치를 하기도 하며, 환자의 상태를 점검하고, 치료에 대한 설명을 하기도 합니다.

079쪽

똑똑한 **하루 독해** 미리 보기

❶ 반려동물　　❷ 수목　　❸ 불법

080쪽~081쪽

똑똑한 **하루 독해**

1 ②　　　　2 주의할 점 등　　　3 (2) ○
4 ❶ 목줄　❷ 불

1 이 공원은 모든 시민이 이용하는 여러분의 귀중한
휴식 공간이라고 하였습니다.

> ❴ **더 알아보기** ❵
> **'휴식 공간'의 뜻 알아보기**
> '하던 일을 멈추고 잠깐 쉴 수 있는 장소.'라는 뜻입니다.

2 공원 이용 시 주의할 점을 안내한다고 하였습니다.

> **채점 기준**
> 글에서 안내하는 것이 무엇인지 잘 찾아 썼으면 정답으
> 로 합니다.

3 쓰레기를 다시 챙겨서 가져가는 모습입니다.

4 공원을 이용할 때의 주의할 점을 나눠진 항목별로
정리하여 바르게 씁니다.

082쪽

똑똑한 **하루 독해** 어휘

1

소개한　　소중한　　소복한

2 (2) ○　(4) ○　(5) ○　(6) ○

1 '귀중한'은 '소중하고 중요한.'이라는 뜻으로, '소중
한'과 뜻이 비슷한 말입니다.

---

2 '반려동물'은 '사람이 정서적으로 의지하고자 가까
이 두고 기르는 동물.'이라고 하였으므로, 동물이 아
닌 '사과'와 '꽃'은 '반려동물'에 포함될 수 없습니다.

083쪽

똑똑한 **하루 독해** 게임

사람들이 떠올린 음식						
나타내는 낱말	학원	공원	보호	놀이	학교	개발	병원

(1) │ 공 │ 원 │ 을/를 (2) │ 보 │ 호 │ 해요!

◉ 강아지에게 목줄과 입마개를 하고 산책을 하고 있는
여자와, 가져간 쓰레기를 줍고 있는 남자가 공원을
바르게 이용하고 있다고 할 수 있습니다. 이 두 사람
이 떠올린 음식이 나타내는 낱말을 넣어 문장을 만들
어 봅니다.

084쪽~085쪽 평가 누구나 100점 테스트

1 ①　　2 ①　　3 (2) ○　　4 은행
5 ①, ⑤　6 오르르　7 아빠　　8 서윤
9 ⑤　　10 (1) ○

1 글의 두 번째 문장에서 '바보의 눈에는 보이지 않는
다는 임금님의 새 옷'이라고 나오므로, 임금님의 새
옷은 바보의 눈에 보이지 않는다고 한 것을 알 수 있
습니다.

2 '벌거숭이'의 뜻은 '옷을 다 벗은 알몸뚱이.'입니다.

《 왜 틀렸을까? 》
　'어리석고 멍청하거나 못난 사람.'은 '바보'를 뜻하는 말입니다.

3 임금님은 새 옷을 자랑하러 밖으로 나갔습니다. 하지만 임금님이 벌거벗었다는 아이의 말을 듣고 난 뒤에는 부끄러웠을 것입니다.

《 더 알아보기 》
이야기에서 인물의 마음을 알 수 있는 방법
• 이야기에서 인물이 처한 상황을 살펴봅니다.
• 인물이 처한 상황에서 어떤 말과 행동을 했는지 살펴봅니다.
• 인물과 비슷한 경험을 떠올려 봅니다.

4 이 글은 은행에서 하는 일과 은행에 돈을 맡기면 좋은 점 등에 대해 설명하는 글입니다.

5 글의 마지막 문장에서 '사람들은 은행에 돈을 안전하게 맡기면서 이자까지 받을 수 있어서 좋고'라고 하였습니다.

6 '오르르'는 '조그마한 아이나 동물 따위가 한꺼번에 바쁘게 뛰어나가거나 움직이는 모양.'을 뜻하는 낱말입니다.

7 집안일을 아빠의 일이 아닌 엄마의 일이라고 생각하기 때문에 '엄마가 집안일을 돕는다.'라고는 말하지 않고, '아빠가 집안일을 돕는다.'라고 말한다고 하였습니다.

8 글쓴이는 '아빠가 집안일을 돕는다.'라는 말에 숨은 뜻을 전하면서, 집안일은 엄마의 일이 아니라 모두 함께 해야 한다는 의미를 전하고 있습니다.

9 이 글은 공원을 이용할 때 어떤 점을 주의해야 하는지 알려 주는 안내문입니다.

10 쓰레기를 가져가라는 내용이 그림 밑에 나오므로 이와 관계있는 그림을 찾습니다.

《 왜 틀렸을까? 》
　(2)의 그림은 '차량은 차도 이외에서는 타지 마세요.'와 같은 내용에 어울립니다.

086쪽~091쪽　

1 ❶ 보관　❷ 차별　❸ 수거

2 ❶ →　❷ →　❸ ↓　❹ ↓　❺ →　❻ ↓

3 아람이는 캔을 　5　 개 주워야 하고, 윤호는 종이컵을 　3　 개 주워야 해요. 그리고 지아는 페트병을 　2　 개 주워야 해요.

4 (1) 함께　(2) 목줄　(3) 사나운

5 (1) ① 이 익　② 편 리

　(2) 漁 夫 之 利

1 2주에서 배운 낱말을 떠올리며 알맞은 답을 만화에서 찾아 써 봅니다.

2 아이가 은행에 찾아가려면 어떤 방향으로 가야 하는지 생각해 봅니다.

3 그림에서 캔, 종이컵, 페트병 쓰레기가 각각 몇 개인지 세어 봅니다.

4 '동반 에티켓'은 반려동물과 함께 다닐 때 지켜야 할 예절을 말하며, 반려동물을 데리고 다닐 때에는 목줄을 채우고, 맹견(사나운 개)일 경우에는 입을 막는 가리개도 씌워야 합니다.

5 (1) ① 이익(利益): 물질적으로나 정신적으로 보탬이 되는 것.
　② 편리(便利): 편하고 이로우며 이용하기 쉬움.
　(2) 빈칸에 利(이로울 리) 자를 써넣어 '어부지리(漁父之利)'를 완성합니다.

094쪽~095쪽 〔3주에는 무엇을 공부할까? ②〕

1-1 도깨비   1-2 도깨비
2-1 (2) ○   2-2 계절

1-1 '동물이나 사람의 모습을 한 귀신의 하나.'는 '도깨비'를 뜻합니다.

1-2 사람의 모습을 한 귀신이라고 했으므로 호랑이가 아니라 도깨비가 알맞습니다.

2-1 '흘러가는 시간.'은 '세월'의 뜻입니다.

2-2 주어진 네 개의 낱말을 모두 빈칸에 넣어 읽어 보고, 문장이 자연스러운 것을 찾아봅니다.

097쪽 〔똑똑한 하루 독해 미리 보기〕

1 머슴   2 논

098쪽~099쪽 〔똑똑한 하루 독해〕

1 ④   2 ③
3 서 있을 것 등   4 ❶ 도깨비 ❷ 머슴

1 머슴과 도깨비는 논을 두고 수수께끼를 내고 맞히는 내기를 하였습니다. 수수께끼를 내고 맞혀 이긴 사람이 논의 주인이 된다는 내기였습니다.

2 ㉠'바가지' 사진은 사진 ③입니다. ①은 국자, ②는 백자 그릇, ④는 항아리 사진입니다. '바가지'는 '박을 두 쪽으로 쪼개어 물을 푸거나 물건을 담는 데 쓰던 그릇.'을 말합니다. 지금은 나무나 플라스틱으로 만든 바가지를 많이 사용합니다.

3 머슴은 무엇이라고 답하든지 반대로 행동할 것이므로 도깨비들은 얼른 답할 수 없었습니다.

> **채점 기준**
> '서 있을 것'이라는 내용으로 썼으면 정답으로 합니다.

4 머슴과 수수께끼 내기를 한 것은 도깨비이고, 내기에서 이긴 것은 머슴입니다.

100쪽 〔똑똑한 하루 독해 어휘〕

1 (1) 쑥덕 (2) 졌   2 (1) ② (2) ③ (3) ①

1 (1)의 '쑥떡댔어요'를 맞춤법에 맞게 쓴 것은 '쑥덕댔어요'이고, (2) '젔다'를 맞춤법에 맞게 쓴 것은 '졌다'입니다. 글에 쓰인 낱말을 참고하여 알맞게 고쳐 씁니다.

2 '서다', '눕다', '앉다'는 모두 어떤 동작을 나타내는 말입니다. (1) '서다'는 사람이나 동물이 발을 땅에 대고 다리를 쭉 뻗으며 몸을 곧게 한 상태, (2) '눕다'는 몸을 바닥 따위에 대고 한쪽으로 기울지 않은 평평한 모습이 된 상태, (3) '앉다'는 윗몸을 바로 한 상태에서 엉덩이에 몸무게를 실어 다른 물건이나 바닥에 몸을 올려놓은 상태를 뜻합니다.

101쪽 〔똑똑한 하루 독해 게임〕

(1) 일본 (2) 우리나라

◉ 그림 속 도깨비를 살펴보면 우리나라 도깨비와 일본 도깨비는 몇 가지 차이가 있습니다. 가장 대표적인 차이가 도깨비의 뿔입니다. 한국 도깨비는 뿔이 없으며, 일본 도깨비는 뿔이 있습니다. 우리가 흔히 알고 있는 도깨비의 뿔은 일본 도깨비인 오니의 영향을 받은 것입니다.

〔 더 알아보기 〕

우리나라 도깨비와 일본 도깨비의 차이

한국 도깨비의 특징	• 뿔이 없다.
	• 털이 많고 바지저고리를 입고 패랭이 모자를 쓰고 다닌다.
	• 나무 방망이를 들고 다닌다.
	• 장난을 잘 치지만, 사람을 해치지는 않는다.
일본 도깨비의 특징	• 뿔이 있다.
	• 피부가 붉고 짐승 가죽을 입고 있다.
	• 쇠로 된 무시무시한 철퇴를 들고 다닌다.
	• 사람을 괴롭히는 것을 즐긴다.

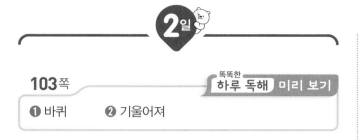

2일

103쪽 똑똑한 하루 독해 미리 보기

❶ 바퀴   ❷ 기울어져

104쪽~105쪽 똑똑한 하루 독해

1 ③   2 ⑤   3 약간 기울어져 돌기 등

4 ❶ 지구 ❷ 계절

1 '해'는 태양을 일상적으로 이르는 말로, '태양'과 바꾸어 써도 뜻이 자연스럽게 통합니다.

2 지구가 약간 기울어져 태양 주위를 돌고 있기 때문에 지구의 위치에 따라 햇빛을 받는 양이 각각 달라집니다. 그래서 우리나라는 지구가 태양 주위를 한 바퀴 도는 동안 봄, 여름, 가을, 겨울을 거치게 된다고 하였습니다.

3 지구가 태양 주위를 돌 때 약간 기울어져 돌기 때문에 햇빛을 많이 받는 위치에 있을 때는 여름이 되고, 햇빛을 적게 받는 위치에 있을 때는 겨울이 되는 것이라고 하였습니다.

> **채점 기준**
> 지구가 태양 주위를 돌 때 약간 기울어져 돌기 때문이라고 썼으면 정답으로 합니다.

4 계절이 생기는 원인은 지구가 태양 주위를 돌 때 약간 기울어져 도는 것이고, 그 결과로 햇빛을 많이 받는 위치에 있을 때는 여름이 되고, 햇빛을 적게 받는 위치에 있을 때는 겨울이 되는 등 계절이 생기는 것입니다.

106쪽 똑똑한 하루 독해 어휘

1 (1) 나뭇잎 (2) 아랫입술   2 (1) ③ (2) ① (3) ②

1 보기 의 '콧등'과 '햇빛'은 모두 말이 합쳐지면서 앞말의 끝에 받침 'ㅅ'이 덧붙었습니다. '나무+잎'과 '아래+입술'도 하나의 낱말로 합치면서 앞말의 끝에 받침 'ㅅ'을 덧붙여 '나뭇잎', '아랫입술'이라고 씁니

다. 이처럼 합쳐진 낱말에 원래 없던 받침 'ㅅ'이 덧붙는 낱말은 쓰면서 틀리기 쉬운 낱말이므로 주의해서 씁니다.

2 수의 많고 적음을 나타내는 '많다-적다', 온도를 나타내는 '덥다-춥다', 얼음의 상태를 나타내는 '얼다-녹다'가 서로 뜻이 반대인 낱말입니다.

> **【 왜 틀렸을까? 】**
>
> **뜻이 서로 반대되는 관계에 있는 말의 관계**
>
> '아이-어른'처럼 뜻이 서로 반대되는 낱말이 있을 때, '아이'와 뜻이 반대되는 낱말에는 '어른' 말고도 '성인', '윗사람', '어르신' 등 여러 가지가 있을 수 있습니다.
>
> 뜻이 서로 반대되는 낱말은 서로 반대의 뜻을 가지고 있지만 공통된 부분도 있습니다. '아이'와 '어른'은 서로 뜻은 반대이지만 모두 나이를 먹은 정도를 나타내고, '차갑다'와 '뜨겁다'도 서로 뜻이 반대이지만 온도를 나타낸다는 점에서 공통점이 있습니다. '많다-춥다'처럼 낱말 사이에 공통점이 없다면 뜻이 서로 반대된다고 할 수 없는 것입니다.

107쪽 똑똑한 하루 독해 게임

(1) 다 (2) 나

이처럼 여름에 알맞은 모습이 나타난 그림을 빈칸에 채워 넣어 그림을 완성해 봅니다.

> **【 왜 틀렸을까? 】**
>
> 그림 ㉮는 눈이 내리는 겨울 풍경이어서 그림판 ①의 자리에는 어울리지 않습니다.

3일

109쪽 똑똑한 하루 독해 미리 보기

❶ 느릿느릿 ❷ 쏟아져도

110쪽~111쪽 똑똑한 하루 독해

1 느릿느릿 2 ⑤ 3 한참 있다
4 ❶ 소 ❷ 느릿느릿

1 소는 아무리 배가 고파도 느릿느릿 먹고, 비가 쏟아질 때도 느릿느릿 걷는다고 하였습니다. '느릿느릿'은 동작이 재지 못하고 매우 느린 모양을 흉내 내는 말입니다. 이 시는 흉내 내는 말을 사용해 소의 움직임을 실감 나게 표현하였습니다.

2 이 시의 말하는 이는 소가 배가 고프거나 비가 쏟아지는 급한 상황에서도 느릿느릿 먹고, 느릿느릿 걷는다고 하였습니다. 그리고 기쁘고 슬픈 일이 있어도 한참 있다 웃고 운다고 하였습니다. 이러한 내용에서 알 수 있는 소의 특징은 소가 무엇을 하든 움직임이 느리다는 것입니다.

> ❪ 왜 틀렸을까? ❫
> ① **조그맣다**: 소의 크기가 어떤지는 알 수 없습니다.
> ② **부지런하다**: '어떤 일을 꾸물거리지 않고 꾸준하게 열심히 하는 태도가 있다.'라는 뜻으로 시의 내용만 보고는 소가 부지런한지 알 수 없습니다.
> ③ **일을 잘한다**: 소가 일을 잘한다는 내용은 없습니다.
> ④ **머리가 좋다**: 소가 머리가 좋다는 내용은 없습니다.

3 기쁜 일이 있을 때 움직임이 느린 소는 웃는 것도 한참 있다 웃는다고 하였습니다.

> **채점 기준**
> 한참 있다 웃는다는 내용을 넣어 답을 썼으면 정답으로 합니다.

4 소는 아무리 배가 고파도 느릿느릿 먹고, 비가 쏟아질 때도 느릿느릿 걷습니다. 그리고 기쁜 일이나 슬픈 일이 있어도 한참 있다 웃거나 운다고 하였습니다.

112쪽 똑똑한 하루 독해 어휘

1 서글프다 2 (1) ② (2) ③ (3) ①

1 '슬프다'는 '분하고 억울한 일을 겪거나 불쌍한 일을 보고 마음이 아프고 괴롭다.'라는 뜻의 낱말입니다. 이와 비슷한 뜻을 가진 낱말은 '쓸쓸하고 외로워 슬프다.'라는 뜻의 '서글프다'가 알맞습니다.

2 도둑이 담을 넘어 몰래 집 안으로 들어오는 모습은 '살금살금', 아버지께서 코를 고는 소리는 '드르렁드르렁', 바둑이가 꼬리를 흔드는 모습은 '살랑살랑'이 어울립니다.

> ❪ 더 알아보기 ❫
> · **살금살금**: 남이 알아차리지 못하도록 눈치를 살펴 가면서 살며시 행동하는 모양.
> · **드르렁드르렁**: 매우 요란하게 코를 자꾸 고는 소리.
> · **살랑살랑**: 팔이나 꼬리 따위를 가볍게 자꾸 흔드는 모양.

113쪽 똑똑한 하루 독해 게임

소가 화살표를 따라 위의 그림처럼 송아지를 찾아갈 수 있도록 빈칸에 알맞은 화살표를 넣어 봅니다.

4일

115쪽 똑똑한 하루 독해 **미리 보기**

❶ 고조선 ❷ 부족

116쪽~117쪽 똑똑한 하루 독해

1 ①   2 고조선을 세웠다. 등   3 (2) ◯
4 ❶ 단군 ❷ 곰

1 ㉠'임금'과 ㉡'왕'은 모두 나라를 다스리는 우두머리를 뜻하는 말입니다.

> **왜 틀렸을까?**
> ② **왕자**: 임금의 아들.
> ③ **왕비**: 임금의 아내.
> ④ **귀족**: 가문이나 신분 따위가 좋아 정치적·사회적으로 특별한 권리를 가진 계층. 또는 그런 사람.
> ⑤ **신하**: 임금을 섬기어 벼슬하는 사람.

2 단군은 우리나라 최초의 국가인 고조선을 세운 인물입니다. 그리고 단군 이야기는 단군이 어떻게 태어나 고조선을 세우게 되었는지의 내용을 담은 이야기입니다.

> **채점 기준**
> 단군이 고조선을 세웠다는 내용을 알맞게 썼으면 정답으로 합니다.

3 단군 이야기에는 하늘 나라에서 내려온 환웅과 여자로 변한 곰이 결혼하여 그 사이에서 단군이 태어났다고 되어 있지만, 글쓴이는 사실 이 이야기는 단군이 큰 힘을 가지고 있었던 환웅의 무리와 곰을 섬기는 부족 사이에서 태어났음을 뜻한다고 말하였습니다.

4 단군 이야기는 하늘 나라에서 내려온 환웅과 여자로 변한 곰 사이에서 태어난 단군이 고조선을 세웠다는 내용입니다. 그리고 글쓴이는 그 속에 숨겨진 진짜 뜻이 큰 힘을 가지고 있었던 환웅의 무리와 곰을 섬기는 부족 사이에서 태어난 단군이 고조선을 세웠다는 이야기라고 하였습니다.

118쪽 똑똑한 하루 독해 **어휘**

1 (1) 나았다 (2) 낳았다   2 사이

1 (1) '다쳤던 다리가 싹 [　　　].'에 어울리는 말은 '나았다'입니다. 다친 다리가 고쳐지거나 상처가 아물었다는 뜻이 어울리기 때문입니다.
   (2) '우리 집 바둑이가 새끼를 [　　　].'에 어울리는 말은 '낳았다'입니다. 바둑이가 배 속의 새끼를 몸 밖으로 내놓았다는 뜻이 어울리기 때문입니다.

2 '사이'는 '서로 맺은 관계. 또는 사귀면서 정이 든 정도.'와 '한때로부터 다른 때까지의 동안.'을 모두 뜻하는 말입니다. 따라서 두 대화의 빈칸에 공통으로 들어갈 말로 알맞은 것은 '사이'입니다.

> **왜 틀렸을까?**
> '관계'는 둘 이상의 사람, 사물, 일 따위가 서로 관련을 맺거나 관련이 있음을 뜻하는 말로, 첫 번째 대화 속 빈칸에 넣어 '우리는 친구 관계예요.'라고 써도 어색하지 않습니다. 하지만 다른 대화 속 빈칸에는 어울리지 않습니다.
> '동안'은 어느 한때에서 다른 한때까지 시간의 길이를 뜻하는 말로, '사흘 동안 여행을 다녔다.', '한참 동안 친구를 기다렸다.'처럼 씁니다.

119쪽 똑똑한 하루 독해 **게임**

널리 | 인 | 간 | 을 | 이 | 롭 | 게 | 하라.

○ 단군이 말한 암호를 풀어 보면 다음과 같습니다.
●=인, ◆=간
♥=이, ◆=롭, ♣=게
그림에 알맞은 낱자를 표에서 찾아 암호를 풀면, 단군이 '널리 인간을 이롭게 하라.'라는 말을 했음을 알 수 있습니다. '널리 인간을 이롭게 하라.'라는 말은 단군 이야기에 나오는 말로 단군이 고조선을 세운 뜻을 잘 드러내는 말입니다. 이 뜻은 몇천 년이 지난 지금까지도 우리나라와 우리 민족에게 많은 영향을 주고 있습니다.

5일

121쪽 똑똑한 하루 독해 **미리 보기**

❶ 다문화 ❷ 시청 ❸ 의상

122쪽~**123**쪽 똑똑한 하루 독해

1 (2) ○ **2** ③, ⑤ **3** 올바른 이해를 등
4 ❶ 운동장 ❷ 다문화

1 글 가장 위쪽에 '천재초등학교 어린이 신문'이라고 적혀 있으므로, 이 글은 신문에 실린 기사문입니다.

〔 왜 틀렸을까? 〕
　이 글은 종이 신문에 실린 기사문입니다. 신문은 문자와 사진으로 다양한 정보를 빠르고 정확하게 전달해 주며, 책이나 인터넷 글과는 차이가 있습니다.

2 각 교실에서는 생활 속에서 마주칠 수 있는 여러 가지 사례가 담긴 다문화 만화 영화 「빨간 자전거」를 시청했다고 하였고, 운동장에서는 학생들이 여러 나라의 전통 의상을 입고 행진하는 행사를 진행했다고 하였습니다.

3 글의 처음 부분에서 다문화에 대한 학생들의 올바른 이해를 돕기 위해 '다문화 이해의 날'을 정해 여러 가지 행사를 열었다고 하였습니다.

채점 기준
　'다문화 이해의 날'을 연 까닭을 알맞게 썼으면 정답으로 합니다.

4 행사는 각 교실과 운동장에서 열렸고, '다문화 이해의 날' 행사를 연 까닭은 다문화에 대한 학생들의 올바른 이해를 돕기 위해서라고 하였습니다.

124쪽 똑똑한 하루 독해 **어휘**

1 사례 **2** (1) 말씀 (2) 진지

1 준호는 전에 실제로 있었던 일을 예로 들어 발표를 하고 있습니다. 문장에 어울리는 낱말은 '사례'입니다.

2 (1)에 쓰인 '말'의 높임 표현으로 알맞은 것은 '말씀'이고, (2)에 쓰인 '밥'의 높임 표현으로 알맞은 것은 '진지'입니다. '댁'은 대상의 집을 높이는 표현입니다.

125쪽 똑똑한 하루 독해 **게임**

❶ ㄹ ❷ ㄷ ❸ ㅁ ❹ ㄱ ❺ ㄴ

위 그림처럼 각 나라의 전통 의상을 입은 사람들이 알맞은 위치에 자리를 잡을 수 있도록 빈칸에 번호를 써 줍니다.

126쪽~**127**쪽 **평가** 누구나 100점 테스트

1 머슴 **2** ⑤ **3** ㉢ **4** (1) ○
5 ⑤ **6** 느릿느릿 **7** (1) ○ **8** 환웅, 곰
9 ⑤ **10** (1) ② (2) ①

1 글의 마지막 부분에서 도깨비는 머슴에게 "우리가 졌다."라는 말을 하였습니다.

2 도깨비는 머슴이 낸 수수께끼를 맞히지 못하였고, 그에 따라 다시는 머슴의 논에 오지 않겠다고 하였습니다.

〔 더 알아보기 〕
　수수께끼란, 어떤 사물에 대하여 바로 말하지 않고 빗대어 말하여 알아맞히는 놀이입니다.

3 '남이 알아듣지 못하도록 낮은 목소리로 이야기하다.'는 '쑥덕대다'의 뜻입니다.

4 글의 중간 부분에 햇빛을 많이 받는 위치에 있을 때에는 여름이 된다고 하였습니다.

5 지구가 태양 주위를 돌 때 약간 기울어져 돌기 때문에(원인) 햇빛을 많이 받는 위치에 있을 때에는 여름이 되고, 햇빛을 적게 받는 위치에 있을 때에는 겨울이 되는 등 계절이 생깁니다.(결과)

6 '느릿느릿'은 '동작이 재지 못하고 매우 느린 모양.'을 뜻하는 낱말입니다.

7 '신이나 윗사람을 잘 모시어 받들다.'는 '섬기다'의 뜻입니다.

8 단군이 환웅과 곰 사이에서 태어났다는 것은 단군이 큰 힘을 가진 환웅의 무리와 곰을 섬기는 부족 사이에서 태어난 인물이라는 것을 의미합니다.

9 다문화에 대한 학생들의 올바른 이해를 돕기 위해 여러 가지 행사를 하였다는 내용의 기사문이므로 "'다문화 이해의 날' 행사 열려'가 제목으로 가장 알맞습니다.

10 '다문화'는 '한 나라나 사회 안에 여러 민족의 문화가 섞여 있는 것을 이르는 말.'이고, '시청'은 '눈으로 보고 귀로 들음.'을 뜻합니다.

128쪽~133쪽 특강 창의·융합·코딩

1 ❶ 쑥덕대다 **❷** 섬기다 **❸** 시청
2

---

3 (1) ○
4 (1) 글짓기 (2) 안
5 (1) ① 일 정 ② 일 기
　 (2) 日 就 月 將

1 3주에서 배운 낱말을 떠올리며 알맞은 답을 만화에서 찾아 써 봅니다.

2 따뜻한 봄에 눈사람은 어울리지 않고, 더운 여름에 겨울옷을 입은 사람이 어울리지 않습니다. 서늘한 가을에 수영복을 입은 사람과 추운 겨울에 여름옷을 입은 사람도 계절에 어울리지 않습니다.

3 (1)의 코딩 명령을 따라가면 다음과 같이 쑥과 마늘을 가지고 동굴에 도착할 수 있습니다.

4 지한이는 학교 안에서 열린 글짓기 대회에서 뛰어난 글솜씨를 보여 주어 상장을 받았습니다.

> **{ 더 알아보기 }**
> 백일장은 조선 시대에도 있었습니다. 조선 시대에 각 지방에서는 선비들이 공부에 힘쓰도록 북돋아 주기 위하여 글짓기 시험을 치렀다고 합니다.

5 (1) ① 일정(日程): 일정한 기간 동안 해야 할 일의 계획을 날짜별로 짜 놓은 것. 또는 그 계획.
　　② 일기(便利): 날마다 그날그날 겪은 일이나 생각, 느낌 따위를 적는 개인의 기록.
　 (2) 빈칸에 日(날 일) 자를 써넣어 日就月將(일취월장)을 완성합니다.

136쪽~137쪽 · 4주에는 무엇을 공부할까? ❷

1-1 (1) ○　　　　　1-2 ㅅ
2-1 눈치　　　　　2-2 눈치

1-1 '핏줄'은 '몸속에서 피가 흐르는 관.'과 '같은 조상에서 갈려 나와 혈연관계가 있는 갈래.'의 뜻을 모두 지니고 있지만, 이 문장에서는 '몸속에서 피가 흐르는 관.'의 뜻으로 쓰였습니다.

1-2 '피+ㅅ+줄'의 짜임으로 이루어진 낱말이므로 '피'에 받침 'ㅅ'을 넣어 고쳐야 합니다.

2-1 자신이 위험에 빠진 것을 알지 못한다고 하였으므로, 이 문장에서는 '남의 마음을 그때그때 상황으로 미루어 알아내는 것.'을 뜻하는 낱말인 '눈치'가 들어가야 합니다.

2-2 주어진 세 개의 낱말을 모두 빈칸에 넣어 읽어 보고, 문장이 자연스러운 것을 찾아봅니다.

1일

139쪽 · 똑똑한 하루 독해 미리 보기

1 으름장　　　2 엎치락뒤치락

140쪽~141쪽 · 똑똑한 하루 독해

1 먼저 외나무다리를 건너야겠다 등　　　2 ⑤
3 ②　　　4 ❶ 외나무다리 ❷ 냇물

1 흰 염소와 검은 염소가 외나무다리에서 만났는데, 둘은 서로 자기가 먼저 외나무다리를 건너야겠다고 우기며 양보를 하지 않았습니다.

채점 기준
먼저 외나무다리를 건너야겠다는 내용이 들어가게 답을 썼으면 정답으로 합니다.

2 외나무다리 위에서 만난 흰 염소와 검은 염소가 서로 먼저 가겠다고 우기며 싸우다가, 결국에는 냇물 속으로 빠졌습니다. 이 이야기를 통해 서로 의견이 다를 때 고집을 부리는 것보다 양보를 하는 마음을 가져야 한다는 것을 알 수 있습니다.

3 물에 빠지는 소리를 흉내 내는 말로 알맞은 것은 '풍덩'입니다. '풍덩'은 크고 단단한 물체가 물속에 떨어질 때 나는 소리를 흉내 내는 말입니다.

4 두 염소는 결국 어떻게 되었는지 글의 내용을 요약해 봅니다. 흰 염소와 검은 염소가 외나무다리에서 만났고, 두 염소는 자기가 먼저 외나무다리를 건너야겠다고 우겼습니다. 결국 두 염소는 모두 발이 미끄러져서 냇물 속으로 빠지고 말았습니다.

142쪽 · 똑똑한 하루 독해 어휘

1 (1) ○　(3) ○　　　　2 외나무다리
3 엎치락뒤치락

1 '빵, 뿌리'에 'ㅃ'이 들어 있습니다. '벌'은 'ㅂ+ㅓ+ㄹ'의 짜임으로 이루어져 있습니다.

2 흰 염소와 검은 염소가 외나무다리에서 만났습니다.

3 그림의 상황에 알맞은 말은 '엎치락뒤치락'입니다. '엎치락뒤치락'은 계속해서 엎었다가 뒤치었다가 하는 모양을 나타내는 말로 그림에 알맞습니다.

143쪽 · 똑똑한 하루 독해 게임

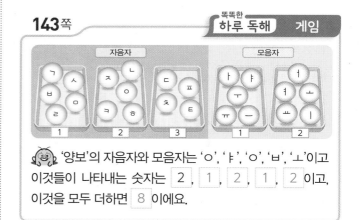

'양보'의 자음자와 모음자는 'ㅇ', 'ㅑ', 'ㅇ', 'ㅂ', 'ㅗ'이고 이것들이 나타내는 숫자는 2, 1, 2, 1, 2 이고, 이것을 모두 더하면 8 이에요.

◉ '양보'는 'ㅇ+ㅑ+ㅇ', 'ㅂ+ㅗ'로 이루어져 있습니다. 자음자와 모음자가 나타내는 숫자를 더해 답을 구해 봅니다.

2 + 1 + 2 + 1 + 2 = 8

145쪽 똑똑한 하루 독해 **미리 보기**

1 피부　　　**2** 상처

146쪽~147쪽 똑똑한 하루 독해

1 ④　　　**2** (2) ○　　　**3** 피가 굳는 것을 등
4 ❶ 입　❷ 침

1 '피부'는 '사람이나 동물의 몸을 싸고 있는 살의 겉부분.'을 뜻하는 말로 '살갗'이라고도 합니다.

2 모기는 피를 빨기 위해서 먼저 톱질을 하듯 입으로 사람이나 동물의 피부에 상처를 냅니다.

3 모기가 침을 뱉은 후에 피를 빼는 까닭은 모기의 침이 피가 굳는 것을 막아 주기 때문입니다.

> **채점 기준**
> 모기의 침이 피가 굳는 것을 막아 준다는 내용이 들어가게 답을 썼으면 정답으로 합니다.

4 모기에게 물리면 가려운 것은 무엇 때문인지 글에서 새롭게 알게 된 내용을 떠올리며 정리해 봅니다. 모기는 사람이나 동물의 피부에 상처를 내고 그곳에 침을 뱉은 후에 입을 넣어서 피를 빨아 먹습니다. 모기의 침에는 피가 굳는 것을 막아 주고 핏줄을 넓혀 주는 성분이 들어 있습니다. 모기에게 물리면 가려운 것은 바로 모기의 침에 들어 있는 성분 때문입니다.

148쪽 똑똑한 하루 독해 **어휘**

1 (1) ○　　　**2** (1) 먹었습니다　　　**3** (1) 반

1 모기는 피를 빨기 위해서 먼저 톱질을 하듯 입으로 사람이나 동물의 피부에 상처를 냅니다.

> **(왜 틀렸을까?)**
> (2)는 '망치질'을 나타내는 그림이고, (3)은 '도끼질'을 나타내는 그림입니다.

2 주어진 문장에 쓰인 '먹다'는 '음식물을 입으로 씹거나 하여 배 속으로 들여보내다.'라는 뜻으로 쓰였습니다. (2)에 쓰인 '먹다'는 '사람이 어떤 생각이나 감정을 마음속으로 가지다.'라는 뜻입니다.

> **(더 알아보기)**
> **'먹다'의 여러 가지 뜻**
>
> | 먹다 | • 음식물을 입으로 씹거나 하여 배 속으로 들여보내다. 예 음식을 먹다. |
> | --- | --- |
> | | • 사람이 어떤 생각이나 감정을 마음속으로 가지다. 예 마음을 먹다. |
> | | • 사람이 나이를 더하여 보태다.
예 나이를 먹다. |

3 '굳다'와 뜻이 반대인 말은 '녹다'입니다. '녹다'는 '단단한 물체가 높은 온도에서 물러지거나 물처럼 되다.'라는 뜻입니다.

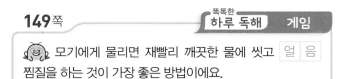

149쪽 똑똑한 하루 독해 **게임**

　모기에게 물리면 재빨리 깨끗한 물에 씻고 [얼][음]찜질을 하는 것이 가장 좋은 방법이에요.

◉ 모기에게 물리면 재빨리 씻고 얼음찜질을 하는 것이 가장 좋은 방법이라고 하였습니다.

> **(더 알아보기)**
> 　모기는 사람이나 동물의 피를 빨고, 병을 옮기는 해충입니다. 하지만 모든 모기가 사람이나 동물의 피를 빨아 먹고 사는 건 아닙니다. 수컷 모기들은 식물의 즙이나 과일즙 따위를 먹고 삽니다.
> 　사람의 피를 빨아 먹는 건 암컷 모기입니다. 암컷 모기는 살아 있는 동물의 피를 빨아 먹어야 알을 낳을 수 있는데 그 까닭은 암컷 모기가 알을 낳으려면 많은 영양분이 필요하기 때문입니다. 암컷 모기는 동물의 피에 들어 있는 단백질을 먹고 힘을 내서 알을 낳습니다.
>
>
> ▲ 모기

3일

151쪽   _{똑똑한} **하루 독해** 미리 보기

❶ 똑   ❷ 입

152쪽~153쪽   _{똑똑한} **하루 독해**

1 ②   2 (2) ◯   3 한 개 따
4 ❶ 앵두   ❷ 똑

1 이 시에서 '아가 입'을 앵두라고 표현하였습니다.

2 시를 읽고 시의 내용에 알맞게 재미있는 부분을 말한 사람은 혜진입니다.

3 엄마와 아빠가 아기에게 입을 맞추는 것을 '똑, 한 개 따 먹는다'고 표현하였습니다.

> **채점 기준**
> 엄마와 아빠가 아기에게 입을 맞추는 것을 표현한 부분을 찾아 알맞게 썼으면 정답으로 합니다.

4 시의 내용을 정리하여 알맞은 말을 써 봅니다. 아기 입을 앵두라고 하였습니다. 엄마가 똑, 한 개 따 먹어도 그대로 있고, 아빠가 똑, 한 개 따 먹어도 그대로 있다고 하였습니다.

154쪽   _{똑똑한} **하루 독해** 어휘

1 (1) ◯   2 (1) 데굴데굴 (2) 주룩주룩 (3) 똑

1 그림은 '부부를 중심으로 하여 부모와 자식, 형제 자매의 관계를 이루는 사람들.'이라는 뜻의 '가족'을 표현하고 있습니다. '가족'은 '식구'와 비슷한 뜻을 가지고 있습니다.

> **더 알아보기**
> '식구'는 '한 집에서 함께 살면서 끼니를 같이하는 사람.'이라는 뜻입니다.
> ⓔ 동생이 태어나서 식구가 늘었다.

2 (1)은 공이 굴러가는 그림, (2)는 비가 내리는 그림,

(3)은 사과를 따는 그림입니다. 그림에 어울리는 낱말을 찾아봅니다.

> **더 알아보기**
>
> | 데굴데굴 | 큰 물건이 계속 구르는 모양. ⓔ • 모자가 바람에 날려 데굴데굴 굴러갔다. • 농구공이 데굴데굴 굴러갔다. |
> |---|---|
> | 주룩주룩 | 굵은 물줄기나 빗물 따위가 빠르게 자꾸 흐르거나 내리는 소리. 또는 그 모양. ⓔ • 눈물이 주룩주룩 흘렀다. • 비가 주룩주룩 내리고 있다. |
> | 똑 | 거침없이 따거나 떼는 모양. ⓔ • 사과를 똑 땄다. • 꽃 한 송이를 똑 땄다. |

155쪽   _{똑똑한} **하루 독해** 게임

◉ '입'은 '음식이나 먹이를 먹으며 소리를 내는, 입술에서 목구멍까지의 부분.'을 뜻하고, '앵두'는 '장미과에 속하는, 모양이 작고 둥글며 달콤하고 신맛을 내는 붉은 과일.'을 뜻하고, '똑'은 '거침없이 따거나 떼는 모양.'을 뜻합니다.

4일

157쪽 　　　　똑똑한 **하루 독해 미리 보기**

❶ 판단력　　❷ 눈치

158쪽~**159**쪽　　똑똑한 **하루 독해**

1 (3) ○　　**2** ②, ④　　**3** 판단력이 느리고 바보 같은 짓 등　　**4** ❶ 동작　❷ 멍텅구리

1 '느리다'는 '어떤 동작을 하는 데 걸리는 시간이 길다.'라는 뜻으로 (3)번과 뜻이 비슷합니다.

【 더 알아보기 】

날쌔다	큰 몸의 움직임이 가볍고 빠르다. ⑳ 고양이의 움직이는 모습이 날쌔다.
빠르다	어떤 동작을 하는 데 걸리는 시간이 짧다. ⑳ 수진이는 걸음이 빠르다.

2 멍텅구리는 '뚝지'라는 바닷물고기로, 자신이 위험에 빠져도 눈치를 못 챈다고 하였습니다.

3 '판단력이 느리고 바보 같은 짓을 하는 사람.'을 가리켜 '멍텅구리'라고 부르게 되었습니다.

　　채점 기준
　　'판단력이 느리다.', '바보 같은 짓을 한다.'라는 내용이 포함되게 답을 썼으면 정답으로 합니다.

4 멍텅구리는 '뚝지'라는 바닷물고기로 동작이 아주 느리고 판단력도 다른 물고기들에 비해 떨어집니다. 그래서 '판단력이 느리고 바보 같은 짓을 하는 사람.'을 가리켜 '멍텅구리'라고 부르게 되었습니다.

160쪽　　똑똑한 **하루 독해 어휘**

1 (1) ①　(2) ②
2 (1) 가리키고　(2) 가르쳐

1 '느리다'를 알맞게 나타낸 그림은 ①번, '빠르다'를 알맞게 나타낸 그림은 ②번입니다.

2 (1)은 동생이 먹고 싶은 음식을 손으로 집어서 알려 주는 상황이라 '가리키고'가 알맞고, (2)는 발레를 하는 방법을 알려 주는 상황이라 '가르쳐'가 알맞습니다.

161쪽　　똑똑한 **하루 독해 게임**

● '맹꽁이'는 '영리하지 못하고 하는 짓이 답답한 사람을 놀려 이르는 말.'이고, '척척박사'는 '무엇이든지 묻는 대로 척척 대답해 내는 사람.'을 가리키는 말입니다. '늦깎이'는 '나이가 많이 들어서 어떤 일을 시작한 사람.'을 가리키는 말입니다.

【 더 알아보기 】
사람을 가리키는 우리말 ⑳

헛똑똑이	겉으로는 아는 것이 많아 보이지만, 정작 알아야 하는 것을 모르거나 어떤 것을 선택해야 하는 상황에서 판단을 제대로 하지 못하는 사람을 놀리는 투로 쓰는 말입니다.
물렁팥죽	팥죽은 팥을 푹 삶아 체에 으깨어 밭인 물에 쌀을 넣고 쑨 죽으로 물렁물렁합니다. 이런 팥죽처럼 마음이 무르고 약한 사람을 빗대어 이르는 말입니다.

5일

163쪽   똑똑한 하루 독해 **미리 보기**

❶ 소화기   ❷ 화재   ❸ 손잡이

164쪽~165쪽   똑똑한 하루 독해

1 ③   **2** 안전핀이 빠지지 않도록
3 ❶ 안전핀   ❷ 바람

1 이 글은 소화기의 사용 방법에 대하여 설명하고 있습니다.

2 소화기를 집어 들 때 안전핀이 빠지지 않도록 주의하라고 하였습니다.

> **채점 기준**
> 안전핀이 빠지지 않도록 주의한다는 내용을 찾아 알맞게 답을 썼으면 정답으로 합니다.

3 소화기의 사용 방법을 찾아 내용을 정리해 봅니다. 먼저 소화기를 들고 불이 난 장소로 이동하여 가급적 가까이에서 안전핀을 뽑습니다. 그리고 소화기 호스 끝부분을 잡고 불이 난 방향으로 향하게 한 다음 소화기의 손잡이를 힘껏 움켜잡습니다. 마지막으로 바람을 등진 상태로 앞에서부터 불을 끕니다.

166쪽   똑똑한 하루 독해 **어휘**

1 (1) ○   (3) ○   **2** (1) ○
3 ⑩ 기자 → 자전거 → 거울

1 '할 수 있는 대로. 또는 가능하다면.'이라는 뜻을 넣어 문장이 알맞게 쓰인 것을 찾아봅니다. (1), (3)번이 문장에 자연스럽게 쓰였습니다.

2 '사고'에는 여러 가지 뜻이 있습니다. 주어진 문장에 쓰인 '사고'는 '뜻밖에 일어난 불행한 일.'이라는 뜻으로 쓰였습니다. 문장에 쓰인 '사고'와 같은 뜻으로 사용된 것은 (1)번입니다.

> **왜 틀렸을까?**
> (2)번에 쓰인 '사고'는 '이치에 따라 생각함. 또는 그 생각.'을 뜻하는 말입니다.

3 '기'로 시작하는 낱말을 생각해 쓰고, 끝말잇기를 이어 갑니다. '기'로 시작하는 낱말에는 '기차, 기회, 기분, 기억' 등이 있습니다.

167쪽   똑똑한 하루 독해 **게임**

불이 났을 때 알맞게 행동한 친구는 재석 , 지효 , 종국이고, 그 친구들이 있는 그림의 숫자는 1 , 1 , 9예요. 이 숫자는 불이 났을 때 소방서에 신고할 수 있는 번호예요.

168쪽~169쪽   평가 **누구나 100점 테스트**

1 외나무다리   **2** ⑤   **3** (1) ○   **4** (2) ○
5 ①, ④   **6** 앵두   **7** ③   **8** 판단력
9 소화기   **10** (1) ② (2) ③ (3) ①

1 글 ㈎의 처음 부분에서 흰 염소와 검은 염소가 외나무다리에서 만났다고 하였습니다.

2 글 ㈎에서 흰 염소와 검은 염소는 먼저 외나무다리를 건너야겠다고 우기며 양보하지 않았고, 글 ㈏에서 엎치락뒤치락 싸우다가 두 마리 모두 발이 미끄러져서 냇물 속으로 빠지고 말았습니다.

3 '엎치락뒤치락'은 '계속해서 엎치었다가 뒤치었다가 하는 모양.'을 뜻하는 낱말입니다.

> **왜 틀렸을까?**
> (2)의 '크고 무거운 물건이 깊은 물에 떨어지거나 빠질 때 무겁게 한 번 나는 소리.'는 '풍덩'의 뜻입니다.

4 이 글은 모기에 물렸을 때 가려운 까닭을 설명하는 글입니다.

5 글의 마지막 문장에서 모기의 침에는 피가 굳는 것을 막아 주고, 핏줄을 넓혀 주는 성분이 들어 있다고 하였습니다.

6 1연에서 '아가 입은 / 앵두.'라며 아가 입을 앵두에 빗대어 표현하였습니다.

7 멍텅구리는 '뚝지'라는 바닷물고기를 부르는 말이라고 하였습니다.

〔 왜 틀렸을까? 〕

멍텅구리는 바닷물고기이고, 판단력이 떨어져 자신이 위험에 빠져도 눈치를 못 챈다고 하였습니다. 다른 물고기와 함께 새끼를 기른다는 내용은 찾아볼 수 없습니다.

8 '판단력이 느리고 바보 같은 짓을 하는 사람.'을 가리켜 '멍텅구리'라고 합니다.

9 소화기를 어떻게 사용하는지 그림과 함께 알려 주는 글입니다.

〔 더 알아보기 〕

소화기 사용 방법
① 소화기의 안전핀을 뽑습니다.
② 소화기 호스를 빼서 불이 난 쪽으로 향하게 합니다.
③ 손잡이를 움켜쥡니다.
④ 바람을 등지고 빗자루로 쓸듯이 골고루 뿌립니다.

10 ㉠에는 안전핀을 뽑는 그림, ㉡에는 소화기를 불이 난 방향으로 향하게 하는 그림, ㉢에는 소화기 손잡이를 움켜잡는 그림이 들어가야 합니다.

170쪽~175쪽 **특강** 창의·융합·코딩

1 ❶ 으름장 ❷ 염증 ❸ 화재
2

---

3 3
4 (1) 자리 (2) 나지 않게
5 (1) ① 가 능 성 ② 허 가
　(2) 莫 無 可 奈

1 4주에서 배운 낱말을 떠올리며 알맞은 답을 만화에서 찾아 써 봅니다.

2 사람에게 이로움을 주는 동물과 해를 주는 동물로 구분하여 이로움을 주는 동물만 따라가 봅니다.

〔 더 알아보기 〕

'모기', '진딧물', '파리', '바퀴벌레'처럼 사람의 생활에 해를 끼치는 벌레를 '해충'이라고 합니다. 그리고 '거미', '지렁이', '꿀벌'처럼 사람에게 이로움을 주는 벌레를 '익충'이라고 합니다.

3 지안이가 소화기를 찾아가려면 오른쪽으로 두 칸, 아래쪽으로 세 칸, 오른쪽으로 한 칸을 차례대로 움직여야 합니다.

4 영화를 볼 때에는 앞자리를 발로 차지 말아야 하고 휴대 전화는 소리가 나지 않도록 합니다.

5 (1) ① 가능성(可能性): 어떤 사람이 장차 어떤 훌륭한 일을 해낼 수 있는 능력.
　② 허가(許可): 권한이 있는 사람이나 기관이 어떤 일이나 행동을 하도록 받아들여 줌.
　(2) 빈칸에 可(옳을 가) 자를 써넣어 '막무가내(莫無可奈)'를 완성합니다.

문제 읽을 준비는
저절로 되지 않습니다.

문해력을 키우는 시간

하루
10분

똑똑한 하루 국어 시리즈

문제풀이의 핵심, 문해력을 키우는 승부수

예비초~초6 각A·B
교재별14권

예비초A·B, 초1~초6: 1A~4C
총 14권

정답은
이안에
있어!

배움으로 행복한 내일을 꿈꾸는
천재교육 커뮤니티 안내 ···

교재 안내부터 구매까지 한 번에!
천재교육 홈페이지

자사가 발행하는 참고서, 교과서에 대한 소개는 물론
도서 구매도 할 수 있습니다. 회원에게 지급되는 별을 모아
다양한 상품 응모에도 도전해 보세요!

다양한 교육 꿀팁에 깜짝 이벤트는 덤!
천재교육 인스타그램

천재교육의 새롭고 중요한 소식을 가장 먼저 접하고 싶다면?
천재교육 인스타그램 팔로우가 필수!
깜짝 이벤트도 수시로 진행되니 놓치지 마세요!

수업이 편리해지는
천재교육 ACA 사이트

오직 선생님만을 위한, 천재교육 모든 교재에 대한 정보가 담긴
아카 사이트에서는 다양한 수업자료 및 부가 자료는 물론
시험 출제에 필요한 문제도 다운로드하실 수 있습니다.

https://aca.chunjae.co.kr

천재교육을 사랑하는 샘들의 모임
천사샘

학원 강사, 공부방 선생님이시라면 누구나 가입할 수 있는 천사샘!
교재 개발 및 평가를 통해 교재 검토진으로 참여할 수 있는 기회는 물론
다양한 교사용 교재 증정 이벤트가 선생님을 기다립니다.

아이와 함께 성장하는 학부모들의 모임공간
튠맘 학습연구소

튠맘 학습연구소는 초·중등 학부모를 대상으로 다양한 이벤트와 함께
교재 리뷰 및 학습 정보를 제공하는 네이버 카페입니다.
초등학생, 중학생 자녀를 둔 학부모님이라면 튠맘 학습연구소로 오세요!